JN441555

님께

하나님의 말씀을 드립니다.

년 월 일

드림

The Gospel of John
Portions taken from *The Illustrated Children's Bible, ICB: Complete New Testament*

규장

일러두기

1. 내용

실제 성경 말씀 신약전서 개역개정 4판을 사용했습니다. 전장 전절을 표시하였고 단락별 소제목까지 실었습니다.

2. 구성

말풍선 인물들 간의 대화는 말풍선 안에 넣었기 때문에 누가 하는 말인지 명확히 알 수 있습니다.

지문 성경 말씀 중 대화가 아닌 내용은 사각박스 안에 넣어 구분했습니다.

서판 신약의 본문 중 구약 성경을 인용한 부분은 오래된 양피지 모양의 박스 안에 구약의 책 이름과 장절을 밝혀 별도로 표시했습니다.

각주 일부 페이지 하단에 각주가 나옵니다. 해당 단어나 구(句)에 대한 설명 및 구절 인용 정보 등을 더 얻을 수 있습니다.

배경 그림 그림을 통해 등장인물의 구체적인 행동과 특정 구절의 상황을 빠르게 이해할 수 있습니다. 예를 들면 누가 말하는 것인지, 하루 중 어느 때 일어난 사건인지, 집안에서 일어난 일인지 아니면 집 밖에서 일어난 일인지, 주변에 누가 있었는지, 1세기 이스라엘의 생활풍습 등 좀 더 구체적인 큰 그림을 연상할 수 있도록 도와줍니다.

배경 지도 신약시대의 세계라 할 수 있는 팔레스타인 지역과 지중해 연안 지도, 아시아의 일곱 교회가 있었던 지금의 터키 지역 등 구체적인 이해를 돕는 지도가 있습니다.

7장

8장

9장

10장

11장

12장

13장

14장

15장

16장

17장

18장

19장

20장

21장

신약
개역개정판
요한복음
The GOSPEL of John

1:1 **말씀** '로고스'라는 헬라어를 번역한 말. 로고스는 의사소통을 의미하며, '메시지'라고 번역될 수도 있다. 여기서는 그리스도를 가리킨다. 하나님께서는 그리스도를 통해 자신에 대해 사람들에게 말씀해 주셨다.

1:5 **깨닫지 못하더라** "이기지 못하더라"라고 번역될 수도 있다.

6 하나님께로부터 보내심을 받은
사람이 있으니 그의 이름은 요한*
이라 7 그가 증언하러 왔으니 곧
빛에 대하여 증언하고 모든 사람
이 자기로 말미암아 믿게 하려 함
이라 8 그는 이 빛이 아니요 이 빛
에 대하여 증언하러 온 자라

9 참 빛 곧 세상에 와서 각 사람에게 비추는
빛이 있었나니 10 그가 세상에 계셨으며 세
상은 그로 말미암아 지은 바 되었으되 세상
이 그를 알지 못하였고 11 자기 땅에 오매 자
기 백성이 영접하지 아니하였으나 12 영접하
는 자 곧 그 이름을 믿는 자들에게는 하나님
의 자녀가 되는 권세를 주셨으니 13 이는 혈
통으로나 육정으로나 사람의 뜻으로 나지 아
니하고 오직 하나님께로부터 난 자들이니라
14 말씀이 육신이 되어 우리 가운데 거하시매
우리가 그의 영광을 보니 아버지의 독생자의
영광이요 은혜와 진리가 충만하더라

1:6 요한 그리스도께서 오실 것을 사람들에게 미리 선포한 세례 요한(마 3장 ; 눅 3장 참조).

1:18 아버지 … 나타내셨느니라 이것은 "유일한 하나님께서는 아버지와 매우 가까우시다"라고 번역될 수도 있다. 일부 헬라어 사본들에는 이것이 "유일한 아들께서는 아버지와 매우 가까우시다"라고 기록되어 있다.

1:21 엘리야 하나님의 말씀을 대언했던 사람. 그는 그리스도께서 오시기 몇 백 년 전에 살았다.

1:21 네가 그 선지자냐 이 질문에는 "네가 하나님께서 보내시리라고 모세에게 말씀하셨던 그 선지자냐"라는 의미가 담겨 있는 것 같다(신 18:15-19 참조).

1:23 주의 길을 … 소리로라 사 40:3 인용

하나님의 어린 양을 보라

1:29 **하나님의 어린 양** 예수님을 가리키는 말. 예수님은 하나님께 제물로 드려졌던 어린 양들 같은 분이시다.
1:34 **하나님의 아들** 일부 헬라어 사본들에는 '하나님께서 선택하신 분'이라고 되어 있다.

요한복음 1:35－44

39 예수께서 이르시되

와서 보라

그러므로 그들이
가서 계신 데를
보고 그 날 함께
거하니 때가 열
시쯤 되었더라

40 요한의 말을 듣고 예수를
따르는 두 사람 중의 하나는
시몬 베드로의 형제 안드레
라 41 그가 먼저 자기의 형제
시몬을 찾아 말하되

우리가 메시야를 만났다 하고

(메시야는 번역하면 그리스도라)

1:42 베드로 '베드로'라는 헬라어 이름은 '게바'라는 아람어 이름과 마찬가지로 '반석'이라는 뜻이다.

48 나다나엘이 이르되
어떻게 나를 아시나이까

2장

가나의 혼례

1:51 하나님의 사자들이 … 하는 창 28:12 인용

요한복음 2:2-11

2 예수와 그 제자들
도 혼례에 청함을
받았더니 3 포도주
가 떨어진지라 예
수의 어머니가 예
수에게 이르되

저들에게 포도주가 없다 하니

4 예수께서 이르시되

여자여 나와 무슨 상관이 있나이까
내 때가 아직 이르지 아니하였나이다

5 그의 어머니가 하인
들에게 이르되

너희에게 무슨 말씀을 하시
든지 그대로 하라 하니라

6 거기에 유대인
의 정결 예식•을
따라 두세 통 드
는 돌항아리 여
섯이 놓였는지라
7 예수께서 그들
에게 이르시되

항아리에 물을 채우라 하신즉

아귀까지 채우니

8 이제는 떠서 연회장에
게 갖다 주라 하시매

9 연회장은 물로 된
포도주를 맛보고도

어디서 났는지 알지 못하
되 물 떠온 하인들은 알더
라 연회장이 신랑을 불러

10 말하되

사람마다 먼저 좋은 포도주를
내고 취한 후에 낮은 것을 내거
늘 그대는 지금까지 좋은 포도
주를 두었도다 하니라

11 예수께서 이 첫 표적을 갈릴리
가나에서 행하여 그의 영광을 나타
내시매 제자들이 그를 믿으니라

2:6 정결 예식 식사 전에, 성전에서 예배하기 전에, 그리고 그 밖의 특별한 경우들에 유대인들은 특별한 방법으로 자신을 씻었다.

12 그 후에 예수께서 그 어머니와 형제들과 제자들과 함께 가버나움으로 내려가셨으나

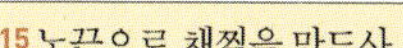

성전을 깨끗하게 하시다

13 유대인의 유월절이 가까운지라 예수께서 예루살렘으로 올라가셨더니 14 성전 안에서 소와 양과 비둘기 파는 사람들과 돈 바꾸는 사람들이 앉아 있는 것을 보시고

15 노끈으로 채찍을 만드사

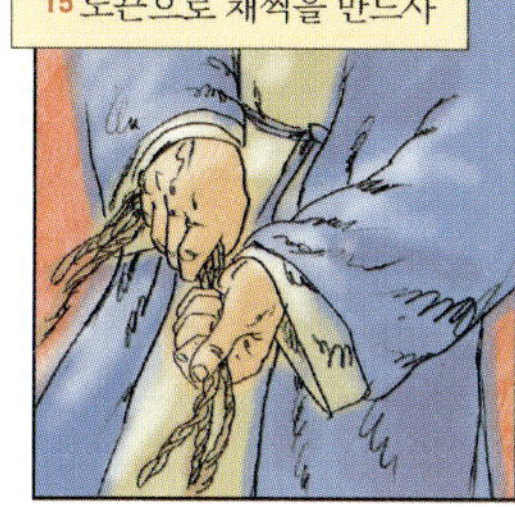

16 비둘기 파는 사람들에게 이르시되

18 이에 유대인들이 대답하여 예수께 말하기를

19 예수께서 대답하여 이르시되

20 유대인들이 이르되

21 그러나 예수는 성전된 자기
육체를 가리켜 말씀하신 것이
라 22 죽은 자 가운데서 살아
나신 후에야 제자들이 이 말씀
하신 것을 기억하고 성경과 예
수께서 하신 말씀을 믿었더라

예수는 사람의 마음속을 아신다

23 유월절에 예수께서 예루살
렘에 계시니 많은 사람이 그의
행하시는 표적을 보고 그의 이
름을 믿었으나 24 예수는 그
의 몸을 그들에게 의탁하지 아
니하셨으니 이는 친히 모든 사
람을 아심이요 25 또 사람에
대하여 누구의 증언도 받으실
필요가 없었으니 이는 그가 친
히 사람의 속에 있는 것을 아
셨음이니라

예수와 니고데모

3장

1 그런데 바리새인 중에 니고데모라
하는 사람이 있으니 유대인의 지도자
라 2 그가 밤에 예수께 와서 이르되

랍비여 우리가 당신은 하나님께로부터 오신 선생인 줄 아나이다 하나님이 함께 하시지 아니하시면 당신이 행하시는 이 표적을 아무도 할 수 없음이니이다

3 예수께서 대답하여 이르시되

진실로 진실로 네게 이르노니 사람이 거듭나지 아니하면 하나님의 나라를 볼 수 없느니라

4 니고데모가 이르되

사람이 늙으면 어떻게 날 수 있사옵나이까 두 번째 모태에 들어갔다가 날 수 있사옵나이까

5 예수께서 대답하시되

진실로 진실로 네게 이르노니 사람
이 물과 성령으로 나지 아니하면
하나님의 나라에 들어갈 수 없느니
라 6 육으로 난 것은 육이요 영으
로 난 것은 영이니 7 내가 네게 거
듭나야 하겠다 하는 말을 놀랍게
여기지 말라 8 바람이 임의로 불매
네가 그 소리는 들어도 어디서 와
서 어디로 가는지 알지 못하나니
성령으로 난 사람도 다 그러하니라

9 니고데모가 대답하여 이르되

어찌 그러한 일이
있을 수 있나이까

10 예수께서 그에게 대답하여 이르시되

3:13 인자 일부 헬라어 사본들에서는 이것이 '하늘에 있는 인자'로 되어 있다.
3:14 모세가 … 뱀을 든 것 같이 이스라엘 사람들이 뱀에 물려 죽어가고 있을 때 모세가 놋뱀을 만들어 장대 위에 매달았고 놋뱀을 쳐다본 사람들은 살았다(민 21:4-9).

요한복음 3:20－28

20 악을 행하는 자마다 빛을 미
워하여 빛으로 오지 아니하나
니 이는 그 행위가 드러날까 함
이요 21 진리를 따르는 자는 빛
으로 오나니 이는 그 행위가 하
나님 안에서 행한 것임을 나타
내려 함이라 하시니라

그는 흥하고 나는 쇠하여야 하리라
22 그 후에 예수께서 제
자들과 유대 땅으로 가
서 거기 함께 유하시며
세례를 베푸시더라

23 요한도 살렘 가까운 애논에서 세
례를 베푸니 거기 물이 많음이라 그
러므로 사람들이 와서 세례를 받더
라 24 요한이 아직 옥에 갇히지 아
니하였더라 25 이에 요한의 제자 중
에서 한 유대인과 더불어 정결예식
에 대하여 변론이 되었더니

26 그들이 요한에게
가서 이르되
랍비여 선생님과 함
께 요단 강 저편에 있
던 이 곧 선생님이 증
언하시던 이가 세례
를 베풀매 사람이 다
그에게로 가더이다
27 요한이 대답하여 이르되
만일 하늘에서 주신 바
아니면 사람이 아무 것
도 받을 수 없느니라
28 내가 말한 바 나는
그리스도가 아니요 그
의 앞에 보내심을 받은
자라고 한 것을 증언할
자는 너희니라

29 신부를 취하는 자는 신랑이
나 서서 신랑의 음성을 듣는 친
구가 크게 기뻐하나니 나는 이
러한 기쁨으로 충만하였노라
30 그는 흥하여야 하겠고 나는
쇠하여야 하리라 하니라

하늘로부터 오시는 이

31 위로부터 오시는 이는 만물 위에
계시고 땅에서 난 이는 땅에 속하여
땅에 속한 것을 말하느니라 하늘로
부터 오시는 이는 만물 위에 계시나
니 32 그가 친히 보고 들은 것을 증
언하되 그의 증언을 받는 자가 없도
다 33 그의 증언을 받는 자는 하나님
이 참되시다는 것을 인쳤느니라

34 하나님이 보내신 이는 하나
님의 말씀을 하나니 이는 하나
님이 성령을 한량 없이 주심이
니라 35 아버지께서 아들을 사
랑하사 만물을 다 그의 손에 주
셨으니 36 아들을 믿는 자에게
는 영생이 있고 아들에게 순종
하지 아니하는 자는 영생을 보
지 못하고 도리어 하나님의 진
노가 그 위에 머물러 있느니라

4장

사마리아 여자와 말씀하시다

1 예수께서 제자를 삼고 세
례를 베푸시는 것이 요한보
다 많다 하는 말을 바리새인
들이 들은 줄을 주께서 아신
지라 2 (예수께서 친히 세
례를 베푸신 것이 아니요 제
자들이 베푼 것이라) 3 유
대를 떠나사 다시 갈릴리로
가실새 4 사마리아를 통과
하여야 하겠는지라 5 사마
리아에 있는 수가라 하는 동
네에 이르시니 야곱이 그 아
들 요셉에게 준 땅이 가깝고

요한복음 4:6－17

6 거기 또 야곱의 우물이 있더라

4:9 **유대인이 사마리아인과 상종하지 아니함이러라** 이것은 "유대인은 사마리아인이 사용한 것들을 사용하지 아니함이러라"라고 번역될 수 도 있다.

예수께서 이르시되
네가 남편이 없다 하는 말이 옳도다 18 너에게 남편 다섯이 있었고 지금 있는 자도 네 남편이 아니니 네 말이 참되도다

19 여자가 이르되
주여 내가 보니 선지자로소이다 20 우리 조상들은 이 산에서 예배하였는데 당신들의 말은 예배할 곳이 예루살렘에 있다 하더이다

21 예수께서 이르시되
여자여 내 말을 믿으라 이 산에서도 말고 예루살렘에서도 말고 너희가 아버지께 예배할 때가 이르리라 22 너희는 알지 못하는 것을 예배하고 우리는 아는 것을 예배하노니 이는 구원이 유대인에게서 남이라
23 아버지께 참되게 예배하는 자들은 영과 진리로 예배할 때가 오나니 곧 이 때라 아버지께서는 자기에게 이렇게 예배하는 자들을 찾으시느니라 24 하나님은 영이시니 예배하는 자가 영과 진리로 예배할지니라

25 여자가 이르되
메시야 곧 그리스도라 하는 이가 오실 줄을 내가 아노니 그가 오시면 모든 것을 우리에게 알려 주시리이다
26 예수께서 이르시되
네게 말하는 내가 그라 하시니라

요한복음 4:27－38

27 이 때에 제자들이 돌아와서 예수께서 여자와 말씀하시는 것을 이상히 여겼으나 무엇을 구하시나이까 어찌하여 그와 말씀하시나이까 묻는 자가 없더라

28 여자가 물동이를 버려 두고 동네로 들어가서 사람들에게 이르되

29 내가 행한 모든 일을 내게 말한 사람을 와서 보라 이는 그리스도가 아니냐 하니

30 그들이 동네에서 나와 예수께로 오더라

34 예수께서 이르시되

나의 양식은 나를 보내신 이의 뜻을 행하며 그의 일을 온전히 이루는 이것이니라 35 너희는 넉 달이 지나야 추수할 때가 이르겠다 하지 아니하느냐 그러나 나는 너희에게 이르노니 너희 눈을 들어 밭을 보라 희어져 추수하게 되었도다

36 거두는 자가 이미 삯도 받고 영생에 이르는 열매를 모으나니 이는 뿌리는 자와 거두는 자가 함께 즐거워하게 하려 함이라 37 그런즉 한 사람이 심고 다른 사람이 거둔다 하는 말이 옳도다 38 내가 너희로 노력하지 아니한 것을 거두러 보내었노니 다른 사람들은 노력하였고 너희는 그들이 노력한 것에 참여하였느니라•

4:35-38 **밭을 보라 … 참여하였느니라** 농부가 일꾼들을 보내어 곡식을 거둬들이게 하듯이 예수님께서는 자신의 추종자들을 보내시어 사람들을 하나님께 데리고 오도록 하신다.

39 여자의 말이 내가 행한 모든
것을 그가 내게 말하였다 증언
하므로 그 동네 중에 많은 사
마리아인이 예수를 믿는지라
40 사마리아인들이 예수께 와
서 자기들과 함께 유하시기를
청하니 거기서 이틀을 유하시
매 41 예수의 말씀으로 말미암
아 믿는 자가 더욱 많아 42 그
여자에게 말하되
이제 우리가 믿는 것은 네 말로 인함이 아니니 이는 우리가 친히 듣고 그가 참으로 세상의 구주신 줄 앎이라 하였더라
왕의 신하의 아들을 고치시다
43 이틀이 지나매 예수
께서 거기를 떠나 갈릴
리로 가시며

44 친히 증언하시기를 선지자가 고향에서는
높임을 받지 못한다 하시고 45 갈릴리에 이
르시매 갈릴리인들이 그를 영접하니 이는 자
기들도 명절에 갔다가 예수께서 명절중 예루
살렘에서 하신 모든 일을 보았음이더라 46
예수께서 다시 갈릴리 가나에 이르시니 전에
물로 포도주를 만드신 곳이라 왕의 신하가 있
어 그의 아들이 가버나움에서 병들었더니

53 그의 아버지가 예수께서 네 아들이 살아 있다 말씀하신 그 때인 줄 알고 자기와 그 온 집안이 다 믿으니라 54 이것은 예수께서 유대에서 갈릴리로 오신 후에 행하신 두 번째 표적이니라

5:2 **히브리 말** 1세기의 유대인들이 사용한 아람어
5:2 **베데스다** 예루살렘 성전 북쪽에 있던 연못으로 '벳자다' 또는 '벳사이다'로도 불렸다.
5:3,4 **[물의 움직임을 기다리니 … 낫게 됨이러라]** 일부 헬라어 사본들에는 이 구절의 전부 또는 대부분이 나오지 않는다.

요한복음 5:9-18

11 대답하되

12 그들이 묻되

13 고침을 받은 사람은 그가
누구인지 알지 못하니 이는
거기 사람이 많으므로 예수께
서 이미 피하셨음이라 14 그
후에 예수께서 성전에서 그
사람을 만나 이르시되

15 그 사람이 유대
인들에게 가서 자
기를 고친 이는 예
수라 하니라 16 그
러므로 안식일에
이러한 일을 행하
신다 하여 유대인
들이 예수를 박해
하게 된지라

17 예수께서
그들에게 이
르시되

내 아버지께서 이제까지 일하시니 나도 일한다 하시매

18 유대인들이 이로 말미
암아 더욱 예수를 죽이고
자 하니 이는 안식일을 범
할 뿐만 아니라 하나님을
자기의 친 아버지라 하여
자기를 하나님과 동등으
로 삼으심이러라

아들의 권한

19 그러므로 예수께서 그들에게 이르시되

내가 진실로 진실로 너희에게 이르노
니 아들이 아버지께서 하시는 일을
보지 않고는 아무 것도 스스로 할 수
없나니 아버지께서 행하시는 그것을
아들도 그와 같이 행하느니라 20 아
버지께서 아들을 사랑하사 자기가 행
하시는 것을 다 아들에게 보이시고

또 그보다 더 큰 일을 보이
사 너희로 놀랍게 여기게
하시리라 21 아버지께서
죽은 자들을 일으켜 살리
심 같이 아들도 자기가 원
하는 자들을 살리느니라
22 아버지께서 아무도 심
판하지 아니하시고 심판을
다 아들에게 맡기셨으니

23 이는 모든 사람으로 아버지를
공경하는 것 같이 아들을 공경하
게 하려 하심이라 아들을 공경하
지 아니하는 자는 그를 보내신
아버지도 공경하지 아니하느니
라 24 내가 진실로 진실로 너희
에게 이르노니 내 말을 듣고 또
나 보내신 이를 믿는 자는 영생
을 얻었고 심판에 이르지 아니하
나니 사망에서 생명으로 옮겼느
니라 25 진실로 진실로 너희에게
이르노니 죽은 자들이 하나님의
아들의 음성을 들을 때가 오나니
곧 이 때라 듣는 자는 살아나리
라 26 아버지께서 자기 속에 생
명이 있음 같이 아들에게도 생명
을 주어 그 속에 있게 하셨고 27
또 인자됨으로 말미암아 심판하
는 권한을 주셨느니라 28 이를
놀랍게 여기지 말라 무덤 속에
있는 자가 다 그의 음성을 들을
때가 오나니 29 선한 일을 행한
자는 생명의 부활로, 악한 일을 행
한 자는 심판의 부활로 나오리라

예수를 믿게 하는 증언

30 내가 아무 것도 스스로 할 수
없노라 듣는 대로 심판하노니 나
는 나의 뜻대로 하려 하지 않고
나를 보내신 이의 뜻대로 하려
하므로 내 심판은 의로우니라 31
내가 만일 나를 위하여 증언하면
내 증언은 참되지 아니하되 32
나를 위하여 증언하시는 이가 따
로 있으니 나를 위하여 증언하시
는 그 증언이 참인 줄 아노라 33
너희가 요한에게 사람을 보내매
요한이 진리에 대하여 증언하였
느니라 34 그러나 나는 사람에게
서 증언을 취하지 아니하노라 다
만 이 말을 하는 것은 너희로 구
원을 받게 하려 함이니라 35 요
한은 켜서 비추이는 등불이라 너
희가 한때 그 빛에 즐거이 있기
를 원하였거니와 36 내게는 요한
의 증거보다 더 큰 증거가 있으
니 아버지께서 내게 주사 이루게
하시는 역사 곧 내가 하는 그 역
사가 아버지께서 나를 보내신 것
을 나를 위하여 증언하는 것이요
37 또한 나를 보내신 아버지께서
친히 나를 위하여 증언하셨느니
라 너희는 아무 때에도 그 음성
을 듣지 못하였고 그 형상을 보
지 못하였으며 38 그 말씀이 너
희 속에 거하지 아니하니 이는 그
가 보내신 이를 믿지 아니함이라
39 너희가 성경에서 영생을 얻는
줄 생각하고 성경을 연구하거니
와 이 성경이 곧 내게 대하여 증
언하는 것이니라 40 그러나 너희
가 영생을 얻기 위하여 내게 오기
를 원하지 아니하는도다 41 나는
사람에게서 영광을 취하지 아니
하노라 42 다만 하나님을 사랑하
는 것이 너희 속에 없음을 알았노
라 43 나는 내 아버지의 이름으
로 왔으매 너희가 영접하지 아니
하나 만일 다른 사람이 자기 이름
으로 오면 영접하리라 44 너희가
서로 영광을 취하고 유일하신 하
나님께로부터 오는 영광은 구하
지 아니하니 어찌 나를 믿을 수
있느냐 45 내가 너희를 아버지께
고발할까 생각하지 말라 너희를
고발하는 이가 있으니 곧 너희가
바라는 자 모세니라 46 모세를
믿었더라면 또 나를 믿었으리니
이는 그가 내게 대하여 기록하였
음이라 47 그러나 그의 글도 믿
지 아니하거든 어찌 내 말을 믿겠
느냐 하시니라

3 예수께서 산에 오르사
제자들과 함께 거기 앉
으시니 4 마침 유대인의
명절인 유월절이 가까운
지라 5 예수께서 눈을
들어 큰 무리가 자기에
게로 오는 것을 보시고
빌립에게 이르시되

6 이렇게 말씀하심은 친히 어떻게
하실지를 아시고 빌립을 시험하고
자 하심이라 7 빌립이 대답하되

8 제자 중 하나 곧 시몬 베드로의 형
제 안드레가 예수께 여짜오되

9 여기 한 아이가 있어 보리떡 다섯 개와 물고
기 두 마리를 가지고 있나이다 그러나 그것이
이 많은 사람에게 얼마나 되겠사옵나이까

10 예수께서 이르시되

그 곳에 잔디가 많은지라 사람들이
앉으니 수가 오천 명쯤 되더라 11 예
수께서 떡을 가져 축사하신 후에

앉아 있는 자들에게 나눠 주시고 물고
기도 그렇게 그들의 원대로 주시니라

14 그 사람들이 예수께서 행하신
이 표적을 보고 말하되

이는 참으로 세상에 오실
그 선지자라 하더라

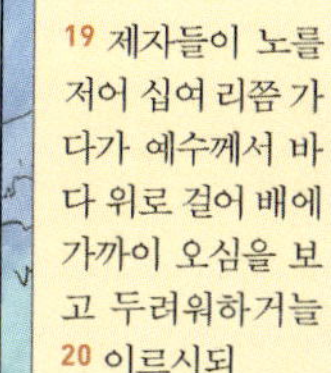

생명의 떡

22 이튿날 바다 건너편에 서 있
던 무리가 배 한 척 외에 다른
배가 거기 없는 것과 또 어제
예수께서 제자들과 함께 그 배
에 오르지 아니하시고 제자들
만 가는 것을 보았더니

23 (그러나 디베랴에서 배
들이 주께서 축사하신 후
여럿이 떡 먹던 그 곳에 가
까이 왔더라) 24 무리가
거기에 예수도 안 계시고
제자들도 없음을 보고 곧
배들을 타고 예수를 찾으
러 가버나움으로 가서

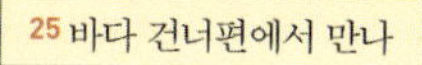

26 예수께서 대답하여 이르시되

28 그들이 묻되

6:31 **하늘에서 … 먹게 하였다** 시 78:24 인용

43 예수께서 대답하여 이르시되

너희는 서로 수군거리지 말라
44 나를 보내신 아버지께서 이끌
지 아니하시면 아무도 내게 올
수 없으니 오는 그를 내가 마지
막 날에 다시 살리리라 45 선지
자의 글에 그들이 다 하나님의
가르치심을 받으리라 기록되었
은즉 아버지께 듣고 배운 사람마
다• 내게로 오느니라 46 이는 아
버지를 본 자가 있다는 것이 아
니니라 오직 하나님에게서 온 자
만 아버지를 보았느니라 47 진
실로 진실로 너희에게 이르노니
믿는 자는 영생을 가졌나니 48
내가 곧 생명의 떡이니라 49 너
희 조상들은 광야에서 만나를 먹
었어도 죽었거니와 50 이는 하
늘에서 내려오는 떡이니 사람으
로 하여금 먹고 죽지 아니하게
하는 것이니라 51 나는 하늘에
서 내려온 살아 있는 떡이니 사
람이 이 떡을 먹으면 영생하리라
내가 줄 떡은 곧 세상의 생명을
위한 내 살이니라 하시니라

6:45 **아버지께 … 사람마다** 사 54:13 인용

요한복음 6:53-65

53 예수께서 이르시되
내가 진실로 진실로 너희에게 이
르노니 인자의 살을 먹지 아니하
고 인자의 피를 마시지 아니하면
너희 속에 생명이 없느니라 54
내 살을 먹고 내 피를 마시는 자
는 영생을 가졌고 마지막 날에
내가 그를 다시 살리리니

55 내 살은 참된 양식이요
내 피는 참된 음료로다

56 내 살을 먹고 내 피를 마
시는 자는 내 안에 거하고 나
도 그의 안에 거하나니 57
살아 계신 아버지께서 나를
보내시매 내가 아버지로 말
미암아 사는 것 같이 나를 먹
는 그 사람도 나로 말미암아
살리라 58 이것은 하늘에서
내려온 떡이니 조상들이 먹
고도 죽은 그것과 같지 아니
하여 이 떡을 먹는 자는 영원
히 살리라

59 이 말씀은 예수께서 가버나움 회
당에서 가르치실 때에 하셨느니라

영생의 말씀
60 제자 중 여럿이 듣고 말하되
이 말씀은 어렵도다 누가
들을 수 있느냐 한대

61 예수께서 스스로 제자들이 이 말씀에
대하여 수군거리는 줄 아시고 이르시되
이 말이 너희에게 걸림이 되느
냐 62 그러면 너희는 인자가
이전에 있던 곳으로 올라가는
것을 본다면 어떻게 하겠느냐
63 살리는 것은 영이니 육은
무익하니라 내가 너희에게 이
른 말은 영이요 생명이라

64 그러나 너희 중에 믿지
아니하는 자들이 있느니라

하시니 이는 예수께서 믿지 아
니하는 자들이 누구며 자기를
팔 자가 누구인지 처음부터 아
심이러라 65 또 이르시되
그러므로 전에 너희에게 말하기
를 내 아버지께서 오게 하여 주
지 아니하시면 누구든지 내게
올 수 없다 하였노라 하시니라

69 우리가 주는 하나님의 거룩하신 자이신 줄 믿고 알았사옵나이다

7장

형제들까지도 예수를 믿지 아니하다

명절을 지키러 올라가시다

10 그 형제들이 명절에
올라간 후에 자기도 올
라가시되 나타내지 않
고 은밀히 가시니라
11 명절중에 유대인들
이 예수를 찾으면서

그가 어디 있느냐 하고

12 예수에 대하여 무리 중에서
수군거림이 많아 어떤 사람은

좋은 사람이라 하며

어떤 사람은

아니라 무리를 미혹한다 하나

13 그러나 유대인들을 두려워하므로 드
러나게 그에 대하여 말하는 자가 없더라

17 사람이 하나님의 뜻을 행하려 하
면 이 교훈이 하나님께로부터 왔는
지 내가 스스로 말함인지 알리라
18 스스로 말하는 자는 자기 영광만
구하되 보내신 이의 영광을 구하는
자는 참되니 그 속에 불의가 없느니
라 19 모세가 너희에게 율법*을 주
지 아니하였느냐 너희 중에 율법을
지키는 자가 없도다 너희가 어찌하
여 나를 죽이려 하느냐

20 무리가 대답하되

당신은 귀신이 들렸도다 누가 당신을 죽이려 하나이까

21 예수께서 대답하여 이르시되

내가 한 가지 일을 행하매 너희가 다 이
로 말미암아 이상히 여기는도다 22 모세
가 너희에게 할례를 행했으니 (그러나 할
례는 모세에게서 난 것이 아니요 조상들
에게서 난 것이라) 그러므로 너희가 안식
일에도 사람에게 할례를 행하느니라

23 모세의 율법을 범하지 아니하려고 사람이 안식일에도 할례를 받는 일이 있거든 내가 안식일에 사람의 전신을 건전하게 한 것으로 너희가 내게 노여워하느냐

7:19 **율법** 모세는 시내 산에서 하나님께 받은 율법을 하나님의 백성에게 전했다(출 34:29-32).

요한복음 7:25 - 34

예수를 잡고자 하나

32 예수에 대하여 무리가 수군거리는 것이 바리새인들에게 들린지라 대제사장들과 바리새인들이 그를 잡으려고 아랫사람들을 보내니 33 예수께서 이르시되

내가 너희와 함께 조금 더 있다가 나를 보내신 이에게로 돌아가겠노라 34 너희가 나를 찾아도 만나지 못할 터이요 나 있는 곳에 오지도 못하리라 하시니

배에서 생수의 강이 흘러나오리라

37 명절 끝날 곧 큰 날에 예수께서 서서 외쳐 이르시되

누구든지 목마르거든 내게로 와서 마시라 38 나를 믿는 자는 성경에 이름과 같이 그 배에서 생수의 강이 흘러나오리라 하시니

39 이는 그를 믿는 자들이 받을 성령을 가리켜 말씀하신 것이라 (예수께서 아직 영광을 받지 않으셨으므로 성령이 아직 그들에게 계시지 아니하시더라) 40 이 말씀을 들은 무리 중에서 어떤 사람은

이 사람이 참으로 그 선지자라 하며

41 어떤 사람은

그리스도라 하며

어떤 이들은

그리스도가 어찌 갈릴리에서 나오겠느냐 42 성경에 이르기를 그리스도는 다윗의 씨로 또 다윗이 살던 마을 베들레헴에서 나오리라 하지 아니하였느냐 하며

43 예수로 말미암아 무리 중에서 쟁론이 되니 44 그 중에는 그를 잡고자 하는 자들도 있으나 손을 대는 자가 없었더라

7:50 그 중의 한 사람 곧 전에 예수께 왔던 니고데모 니고데모가 예수님을 찾아가 대화를 나눈 사건은 요한복음 3장 1-21절에 기록되어 있다.
7:53 현존하는 가장 초기의 헬라어 사본들 중 일부에는 7장 53절부터 8장 11절까지가 기록되어 있지 않다.

2 아침에 다시 성전으로 들어오시니 백성이 다
나아오는지라 앉으사 그들을 가르치시더니 3 서
기관들과 바리새인들이 음행중에 잡힌 여자를
끌고 와서 가운데 세우고 4 예수께 말하되
선생이여 이 여자가 간음하다가 현
장에서 잡혔나이다 5 모세는 율법에
이러한 여자를 돌로 치라 명하였거
니와 선생은 어떻게 말하겠나이까

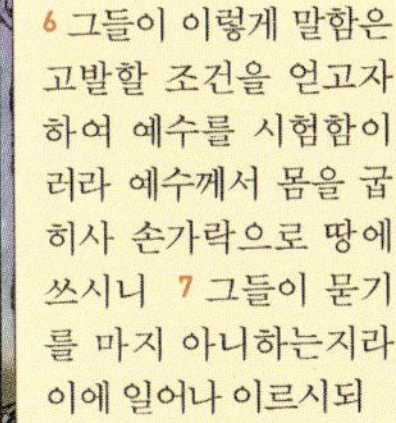
6 그들이 이렇게 말함은
고발할 조건을 얻고자
하여 예수를 시험함이
러라 예수께서 몸을 굽
히사 손가락으로 땅에
쓰시니 7 그들이 묻기
를 마지 아니하는지라
이에 일어나 이르시되

너희 중에 죄 없는
자가 먼저 돌로 치
라 하시고
8 다시 몸을 굽
혀 손가락으로
땅에 쓰시니

9 그들이 이 말씀을 듣고 양
심에 가책을 느껴 어른으로
시작하여 젊은이까지 하나
씩 하나씩 나가고 오직 예수
와 그 가운데 섰는 여자만
남았더라 10 예수께서 일어
나사 여자 외에 아무도 없는
것을 보시고 이르시되
여자여 너를 고발하던 그들이 어디
있느냐 너를 정죄한 자가 없느냐
11 대답하되
주여 없나이다
예수께서 이르시되
나도 너를 정죄하지 아니하노니 가서
다시는 죄를 범하지 말라 하시니라

요한복음 8:12-21

16 만일 내가 판단하여도 내 판
단이 참되니 이는 내가 혼자
있는 것이 아니요 나를 보내신
이가 나와 함께 계심이라 17
너희 율법에도 두 사람의 증언
이 참되다 기록되었으니 18 내
가 나를 위하여 증언하는 사가
되고 나를 보내신 아버지도 나
를 위하여 증언하시느니라

예수께서 대답하시되

너희는 나를 알지 못하고 내 아버지도 알지 못하는도다 나를 알았더라면 내 아버지도 알았으리라

20 이 말씀은 성전에서 가르치실 때에 헌금함 앞에서 하셨으나 잡는 사람이 없으니 이는 그의 때가 아직 이르지 아니하였음이러라

내가 가는 곳

21 다시 이르시되

내가 가리니 너희가 나를 찾다가 너희 죄 가운데서 죽겠고 내가 가는 곳에는 너희가 오지 못하리라

22 유대인들이 이르되
그가 말하기를 내가 가는 곳에는 너희가 오지 못하리라 하니 그가 자결하려는가
23 예수께서 이르시되
너희는 아래에서 났고 나는 위에서 났으며 너희는 이 세상에 속하였고 나는 이 세상에 속하지 아니하였느니라 24 그러므로 내가 너희에게 말하기를 너희가 너희 죄 가운데서 죽으리라 하였노라 너희가 만일 내가 그인 줄 믿지 아니하면 너희 죄 가운데서 죽으리라

25 그들이 말하되
네가 누구냐
예수께서 이르시되
나는 처음부터 너희에게 말하여 온 자니라 26 내가 너희에게 대하여 말하고 판단할 것이 많으나 나를 보내신 이가 참되시매 내가 그에게 들은 그것을 세상에 말하노라 하시되

27 그들은 아버지를 가리켜 말씀하신 줄을 깨닫지 못하더라 28 이에 예수께서 이르시되
너희가 인자를 든 후에 내가 그인 줄을 알고 또 내가 스스로 아무 것도 하지 아니하고 오직 아버지께서 가르치신 대로 이런 것을 말하는 줄도 알리라 29 나를 보내신 이가 나와 함께 하시도다 나는 항상 그가 기뻐하시는 일을 행하므로 나를 혼자 두지 아니하셨느니라

30 이 말씀을 하시매 많은 사람이 믿더라
진리가 너희를
자유롭게 하리라
31 그러므로 예수께서 자기를 믿은 유대인들에게 이르시되
너희가 내 말에 거하면 참으로 내 제자가 되고 32 진리를 알지니 진리가 너희를 자유롭게 하리라

33 그들이 대답하되
우리가 아브라함의 자손이라 남의 종이 된 적이 없거늘 어찌하여 우리가 자유롭게 되리라 하느냐
34 예수께서 대답하시되
진실로 진실로 너희에게 이르노니 죄를 범하는 자마다 죄의 종이라 35 종은 영원히 집에 거하지 못하되 아들은 영원히 거하나니 36 그러므로 아들이 너희를 자유롭게 하면 너희가 참으로 자유로우리라

37 나도 너희가 아브라함의 자손인 줄 아노라 그러나 내 말이 너희 안에 있을 곳이 없으므로 나를 죽이려 하는도다 38 나는 내 아버지에게서 본 것을 말하고 너희는 너희 아비에게서 들은 것을 행하느니라
39 대답하여 이르되
우리 아버지는 아브라함이라 하니

예수께서 이르시되
너희가 아브라함의 자손이면 아브라함이 행한 일들을 할 것이거늘 40 지금 하나님께 들은 진리를 너희에게 말한 사람인 나를 죽이려 하는도다 아브라함은 이렇게 하지 아니하였느니라 41 너희는 너희 아비가 행한 일들을 하는도다
대답하되
우리가 음란한 데서 나지 아니하였고 아버지는 한 분뿐이시니 곧 하나님이시로다

42 예수께서 이르시되
하나님이 너희 아버지였으면 너희가 나
를 사랑하였으리니 이는 내가 하나님께
로부터 나와서 왔음이라 나는 스스로
온 것이 아니요 아버지께서 나를 보내
신 것이니라 43 어찌하여 내 말을 깨닫
지 못하느냐 이는 내 말을 들을 줄 알지
못함이로다 44 너희는 너희 아비 마귀
에게서 났으니 너희 아비의 욕심대로
너희도 행하고자 하느니라 그는 처음부
터 살인한 자요 진리가 그 속에 없으므
로 진리에 서지 못하고 거짓을 말할 때
마다 제 것으로 말하나니 이는 그가 거
짓말쟁이요 거짓의 아비가 되었음이라
45 내가 진리를 말하므로 너희가 나를
믿지 아니하는도다 46 너희 중에 누가
나를 죄로 책잡겠느냐 내가 진리를 말
하는데도 어찌하여 나를 믿지 아니하느
냐 47 하나님께 속한 자는 하나님의 말
씀을 듣나니 너희가 듣지 아니함은 하
나님께 속하지 아니하였음이로다
48 유대인들이 대
답하여 이르되
우리가 너를 사마
리아 사람이라 또
는 귀신이 들렸다
하는 말이 옳지
아니하냐

49 예수께서 대답하시되
나는 귀신 들린 것이 아니라
오직 내 아버지를 공경함이거
늘 너희가 나를 무시하는도다
50 나는 내 영광을 구하지 아
니하나 구하고 판단하시는 이
가 계시니라 51 진실로 진실
로 너희에게 이르노니 사람이
내 말을 지키면 영원히 죽음
을 보지 아니하리라
52 유대인들이 이르되
지금 네가 귀신 들
린 줄을 아노라 아
브라함과 선지자
들도 죽었거늘 네
말은 사람이 내 말
을 지키면 영원히
죽음을 맛보지 아
니하리라 하니

54 예수께서 대답하시되

53 너는 이미 죽은 우리 조상 아브
라함보다 크냐 또 선지자들도 죽
었거늘 너는 너를 누구라 하느냐

내가 내게 영광을 돌리면 내 영광이 아무 것도 아니거니와 내게
영광을 돌리시는 이는 내 아버지시니 곧 너희가 너희 하나님이
라 칭하는 그이시라 55 너희는 그를 알지 못하되 나는 아노니
만일 내가 알지 못한다 하면 나도 너희 같이 거짓말쟁이가 되리
라 나는 그를 알고 또 그의 말씀을 지키노라 56 너희 조상 아브
라함은 나의 때 볼 것을 즐거워하다가 보고 기뻐하였느니라

57 유대인들이 이르되

네가 아직 오십 세도 못되었
는데 아브라함을 보았느냐

1 예수께서 길을 가실 때에 날 때부터 맹인 된 사람을 보신지라 2 제자들이 물어 이르되
랍비여 이 사람이 맹인으로 난 것이 누구의 죄로 인함이니이까 자기니이까 그의 부모니이까

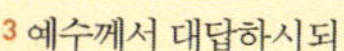
3 예수께서 대답하시되

이 사람이나 그 부모의 죄로 인한 것이 아니라

그에게서 하나님이 하시는 일을 나타내고자 하심이라

4 때가 아직 낮이매 나를 보내신 이의 일을 우리가 하여야 하리라 밤이 오리니 그 때는 아무도 일할 수 없느니라 5 내가 세상에 있는 동안에는 세상의 빛이로라

6 이 말씀을 하시고 땅에 침을 뱉어

진흙을 이겨

그의 눈에 바르시고 7 이르시되
실로암 못에 가서 씻으라 하시니
(실로암은 번역하면 보냄을 받았다는 뜻이라)

이에 가서 씻고 밝은 눈으로 왔더라

8 이웃 사람들과 전에 그가 걸인인 것을 보았던 사람들이 이르되
이는 앉아서 구걸하던 자가 아니냐
9 어떤 사람은
그 사람이라 하며
어떤 사람은
아니라 그와 비슷하다 하거늘
자기 말은
내가 그라 하니
10 그들이 묻되
그러면 네 눈이 어떻게 떠졌느냐
11 대답하되
예수라 하는 그 사람이 진흙을 이겨 내 눈에 바르고 나더러 실로암에 가서 씻으라 하기에 가서 씻었더니 보게 되었노라
12 그들이 이르되
그가 어디 있느냐
이르되
알지 못하노라 하니라
보게 된 맹인과 바리새인들
13 그들이 전에 맹인이었던 사람을 데리고 바리새인들에게 갔더라 14 예수께서 진흙을 이겨 눈을 뜨게 하신 날은 안식일이라 15 그러므로 바리새인들도
그가 어떻게 보게 되었는지를 물으니
이르되
그 사람이 진흙을 내 눈에 바르매 내가 씻고 보나이다 하니
16 바리새인 중에 어떤 사람은 말하되
이 사람이 안식일을 지키지 아니하니 하나님께로부터 온 자가 아니라 하며
어떤 사람은 말하되
죄인으로서 어떻게 이러한 표적을 행하겠느냐 하여
그들 중에 분쟁이 있었더니

17 이에 맹인 되었던 자에게 다시 묻되
그 사람이 네 눈을 뜨게 하였으니 너는 그를 어떠한 사람이라 하느냐
대답하되
선지자니이다 하니
18 유대인들이 그가 맹인으로 있다가 보게 된 것을 믿지 아니하고 그 부모를 불러 묻되

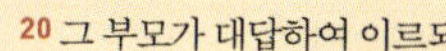

19 이는 너희 말에 맹인으로 났다 하는 너희 아들이냐 그러면 지금은 어떻게 해서 보느냐
20 그 부모가 대답하여 이르되
이 사람이 우리 아들인 것과 맹인으로 난 것을 아나이다 21 그러나 지금 어떻게 해서 보는지 또는 누가 그 눈을 뜨게 하였는지 우리는 알지 못하나이다 그에게 물어 보소서 그가 장성하였으니 자기 일을 말하리이다

22 그 부모가 이렇게 말한 것은 이미 유대인들이 누구든지 예수를 그리스도로 시인하는 자는 출교하기로 결의하였으므로 그들을 무서워함이러라 23 이러므로 그 부모가 말하기를 그가 장성하였으니 그에게 물어 보소서 하였더라 24 이에 그들이 맹인이었던 사람을 두 번째 불러 이르되
너는 하나님께 영광을 돌리라 우리는 이 사람이 죄인인 줄 아노라
25 대답하되
그가 죄인인지 내가 알지 못하나 한 가지 아는 것은 내가 맹인으로 있다가 지금 보는 그것이니이다

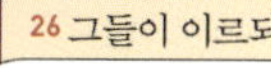
26 그들이 이르되
그 사람이 네게 무엇을 하였느냐 어떻게 네 눈을 뜨게 하였느냐

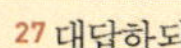
27 대답하되
내가 이미 일렀어도 듣지 아니하고 어찌하여 다시 듣고자 하나이까 당신들도 그의 제자가 되려 하나이까

28 그들이 욕하여 이르되
너는 그의 제자이나 우리는 모세의 제자라 29 하나님이 모세에게는 말씀하신 줄을 우리가 알거니와 이 사람은 어디서 왔는지 알지 못하노라
30 그 사람이 대답하여 이르되
이상하다 이 사람이 내 눈을 뜨게 하였으되 당신들은 그가 어디서 왔는지 알지 못하는도다

31 하나님이 죄인의 말을 듣지 아니하시고 경건하여 그의 뜻대로 행하는 자의 말은 들으시는 줄을 우리가 아나이다 32 창세 이후로 맹인으로 난 자의 눈을 뜨게 하였다 함을 듣지 못하였으니 33 이 사람이 하나님께로부터 오지 아니하였으면 아무 일도 할 수 없으리이다

34 그들이 대답하여 이르되
네가 온전히 죄 가운데서 나서 우리를 가르치느냐 하고
이에 쫓아내어 보내니라

맹인이 되었더라면 죄가 없으려니와
35 예수께서 그들이 그 사람을 쫓아냈다 하는 말을 들으셨더니

그를 만나사 이르시되
네가 인자를 믿느냐

36 대답하여 이르되
주여 그가 누구시오니이까 내가 믿고자 하나이다

37 예수께서 이르시되
네가 그를 보았거니와 지금 너와 말하는 자가 그이니라

10장

양의 우리 비유

9:39 여기서 '보지 못한다'는 것은 육신적으로 보지 못하는 것이 아니라 영적으로 보지 못하는 것을 가리킨다.

선한 목자

7 그러므로 예수께서 다시 이르시되

내가 진실로 진실로 너희에게 말
하노니 나는 양의 문이라 8 나보
다 먼저 온 자는 다 절도요 강도니
양들이 듣지 아니하였느니라 9 내
가 문이니 누구든지 나로 말미암
아 들어가면 구원을 받고 또는 들
어가며 나오며 꼴을 얻으리라 10
도둑이 오는 것은 도둑질하고 죽
이고 멸망시키려는 것뿐이요 내가
온 것은 양으로 생명을 얻게 하고
더 풍성히 얻게 하려는 것이라 11
나는 선한 목자라 선한 목자는 양
들을 위하여 목숨을 버리거니와
12 삯꾼은 목자가 아니요 양도 제
양이 아니라 이리가 오는 것을 보
면 양을 버리고 달아나나니 이리가
양을 물어 가고 또 헤치느니라 13
달아나는 것은 그가 삯꾼인 까닭에
양을 돌보지 아니함이나 14 나는
선한 목자라 나는 내 양을 알고 양
도 나를 아는 것이 15 아버지께서
나를 아시고 내가 아버지를 아는
것 같으니 나는 양을 위하여 목숨
을 버리노라 16 또 이 우리에 들지
아니한 다른 양들이 내게 있어 내
가 인도하여야 할 터이니 그들도
내 음성을 듣고 한 무리가 되어 한
목자에게 있으리라 17 내가 내 목
숨을 버리는 것은 그것을 내가 다
시 얻기 위함이니 이로 말미암아
아버지께서 나를 사랑하시느니라
18 이를 내게서 빼앗는 자가 있는
것이 아니라 내가 스스로 버리노라
나는 버릴 권세도 있고 다시 얻을
권세도 있으니 이 계명은 내 아버
지에게서 받았노라 하시니라

유대인들이 예수를 돌로 치려 하다

22 예루살렘에 수전절이 이르니
때는 겨울이라 23 예수께서 성전
안 솔로몬 행각에서 거니시니 24
유대인들이 에워싸고 이르되

당신이 언제까지나 우리 마음을 의혹하게 하려
하나이까 그리스도이면 밝히 말씀하소서 하니

25 예수께서 대답하시되

내가 너희에게 말하였으되 믿지
아니하는도다 내가 내 아버지의
이름으로 행하는 일들이 나를 증
거하는 것이거늘 26 너희가 내 양
이 아니므로 믿지 아니하는도다

27 내 양은 내 음성을 들으며 나
는 그들을 알며 그들은 나를 따
르느니라 28 내가 그들에게 영
생을 주노니 영원히 멸망하지 아
니할 것이요 또 그들을 내 손에
서 빼앗을 자가 없느니라 29 그
들을 주신 내 아버지는 만물보다
크시매 아무도 아버지 손에서 빼
앗을 수 없느니라 30 나와 아버
지는 하나이니라 하신대

요한복음 10:31－42

32 예수께서 대답하시되

내가 아버지로
말미암아 여러
가지 선한 일로
너희에게 보였
거늘 그 중에 어
떤 일로 나를 돌
로 치려 하느냐

10:34 **내가 너희를 … 하였노라** 시 82:6 인용

1 어떤 병자가 있으니 이는 마리아와 그 자매 마르다의 마을 베다니에 사는 나사로라 2 이 마리아는 향유를 주께 붓고 머리털로 주의 발을 닦던 자요 병든 나사로는 그의 오라버니더라 3 이에 그 누이들이 예수께 사람을 보내어 이르되

4 예수께서 들으시고 이르시되

5 예수께서 본래 마르다와 그 동생과 나사로를 사랑하시더니

6 나사로가 병들었다 함을 들으시고 그 계시던 곳에 이틀을 더 유하시고

7 그 후에 제자들에게 이르시되

8 제자들이 말하되

9 예수께서 대답하시되

요한복음 11:11－20

15 내가 거기 있지 아니한 것을 너희를 위하여 기뻐하노니 이는 너희로 믿게 하려 함이라 그러나 그에게로 가자 하시니

16 디두모라고도 하는 도마가 다른 제자들에게 말하되

우리도 주와 함께 죽으러 가자 하니라

나는 부활이요 생명이니

17 예수께서 와서 보시니 나사로가 무덤에 있은 지 이미 나흘이라 18 베다니는 예루살렘에서 가깝기가 한 오 리쯤 되매 19 많은 유대인이 마르다와 마리아에게 그 오라비의 일로 위문하러 왔더니 20 마르다는 예수께서 오신다는 말을 듣고 곧 나가 맞이하되 마리아는 집에 앉았더라

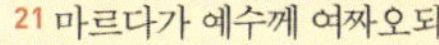

21 마르다가 예수께 여짜오되

24 마르다가 이르되

25 예수께서 이르시되

27 이르되

28 이 말을 하고 돌아가서 가만히 그 자매 마리아를 불러 말하되

선생님이 오셔서 너를 부르신다 하니

29 마리아가 이 말을 듣고 급히 일어나 예수께 나아가매 30 예수는 아직 마을로 들어오지 아니하시고 마르다가 맞이했던 곳에 그대로 계시더라 31 마리아와 함께 집에 있어 위로하던 유대인들은 그가 급히 일어나 나가는 것을 보고 곡하러 무덤에 가는 줄로 생각하고 따라가더니

32 마리아가 예수 계신 곳에 가서 뵈옵고 그 발 앞에 엎드리어 이르되

33 예수께서 그가 우는 것과 또 함께 온 유대인들이 우는 것을 보시고 심령에 비통히 여기시고 불쌍히 여기사

11:24 **부활** 죽었다가 다시 살아나는 것

요한복음 11:34-42

34 이르시되
그를 어디 두었느냐
이르되
주여 와서 보옵소서 하니

35 예수께서 눈물을 흘리시더라

36 이에 유대인들이 말하되
보라 그를 얼마나 사랑하셨는가 하며
37 그 중 어떤 이는 말하되
맹인의 눈을 뜨게 한 이 사람이 그 사람은 죽지 않게 할 수 없었더냐 하더라

38 이에 예수께서 다시 속으로 비통히 여기시며 무덤에 가시니 무덤이 굴이라 돌로 막았거늘

39 예수께서 이르시되
돌을 옮겨 놓으라 하시니
그 죽은 자의 누이 마르다가 이르되
주여 죽은 지가 나흘이 되었으매 벌써 냄새가 나나이다

40 예수께서 이르시되
내 말이 네가 믿으면 하나님의 영광을 보리라 하지 아니하였느냐 하시니
41 돌을 옮겨 놓으니 예수께서 눈을 들어 우러러 보시고 이르시되

아버지여 내 말을 들으신 것을 감사하나이다 42 항상 내 말을 들으시는 줄을 내가 알았나이다 그러나 이 말씀 하옵는 것은 둘러선 무리를 위함이니 곧 아버지께서 나를 보내신 것을 그들로 믿게 하려 함이니이다

43 이 말씀을 하시고 큰 소리로

부르시니 44 죽은 자가 수족을 베로 동인
채로 나오는데 그 얼굴은 수건에 싸였더라

예수께서 이르시되

예수를 죽이려고 모의하다

45 마리아에게 와서 예수께서 하신 일을 본
많은 유대인이 그를 믿었으나 46 그 중에
어떤 자는 바리새인들에게 가서 예수께서
하신 일을 알리니라 47 이에 대제사장들과
바리새인들이 공회를 모으고 이르되

49 그 중의 한 사람 그 해의 대제사
장인 가야바가 그들에게 말하되

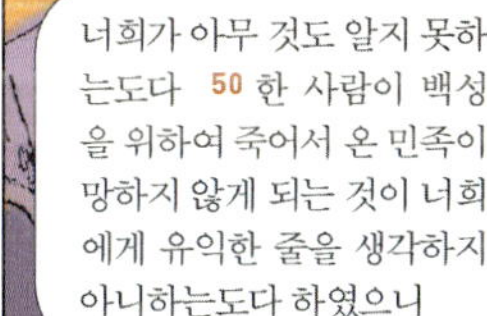

51 이 말은 스스로 함이 아니
요 그 해의 대제사장이므로

예수께서 그 민족을 위하
시고 52 또 그 민족만 위
할 뿐 아니라 흩어진 하나
님의 자녀를 모아 하나가
되게 하기 위하여 죽으실
것을 미리 말함이러라 53
이 날부터는 그들이 예수
를 죽이려고 모의하니라

54 그러므로 예수께서 다
시 유대인 가운데 드러나
게 다니지 아니하시고 거
기를 떠나 빈 들 가까운
곳인 에브라임이라는 동
네에 가서 제자들과 함께
거기 머무르시니라

55 유대인의 유월절이 가
까우매 많은 사람이 자기
를 성결하게 하기 위하여
유월절 전에 시골에서 예
루살렘으로 올라갔더니
56 그들이 예수를 찾으며
성전에 서서 서로 말하되

57 이는 대제사장
들과 바리새인들
이 누구든지 예수
있는 곳을 알거든
신고하여 잡게 하
라 명령하였음이
러라

12장

예수의 발에 향유를 붓다

1 유월절 엿새 전에 예수께
서 베다니에 이르시니 이
곳은 예수께서 죽은 자 가
운데서 살리신 나사로가 있
는 곳이라 2 거기서 예수를
위하여 잔치할새 마르다는
일을 하고 나사로는 예수와
함께 앉은 자 중에 있더라

3 마리아는 지극히 비싼 향유
곧 순전한 나드 한 근을 가져
다가 예수의 발에 붓고

자기 머리털로
그의 발을 닦으
니 향유 냄새가
집에 가득하더
라 4 제자 중 하
나로서 예수를
잡아 줄 가룟 유
다가 말하되

5 이 향유를 어찌하여 삼백 데
나리온에 팔아 가난한 자들에
게 주지 아니하였느냐 하니

6 이렇게 말함은 가
난한 자들을 생각함
이 아니요 그는 도둑
이라 돈궤를 맡고 거
기 넣는 것을 훔쳐
감이러라 7 예수께
서 이르시되

나사로까지 죽이려고 모의하다

9 유대인의 큰 무리가 예
수께서 여기 계신 줄을 알
고 오니 이는 예수만 보기
위함이 아니요 죽은 자 가
운데서 살리신 나사로도
보려 함이러라 10 대제사
장들이 나사로까지 죽이
려고 모의하니 11 나사로
때문에 많은 유대인이 가
서 예수를 믿음이러라

예루살렘으로 가시다

12 그 이튿날에는 명절에 온
큰 무리가 예수께서 예루살
렘으로 오신다는 것을 듣고
13 종려나무 가지를 가지고
맞으러 나가 외치되

호산나• 찬송하리로다 주의
이름으로 오시는 이 곧 이스
라엘의 왕이시여 하더라
시 118:26

14 예수는 한 어린 나귀를 보고 타시니

15 이는 기록된 바 시온 딸
아 두려워하지 말라 보라
너의 왕이 나귀 새끼를 타
고 오신다 함과 같더라
슥 9:9

12:13 **호산나** 본래 하나님께 도움을 구하는 기도를 드릴 때 사용되었던 히브리어. 여기에서는 하나님이나 그분의 메시야를 찬양하는 기쁨의 외침으로 사용된 것으로 보인다.

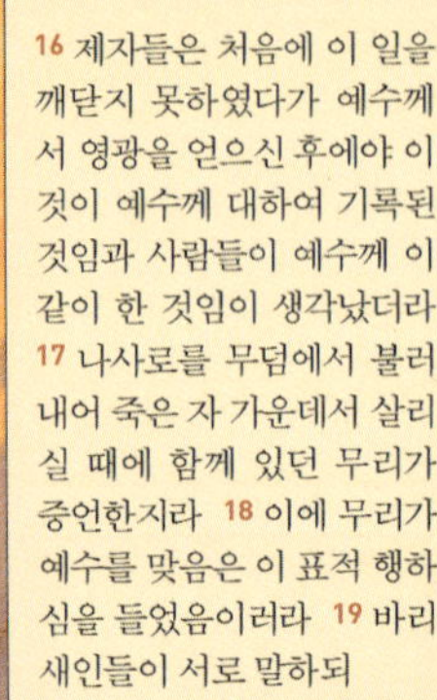
16 제자들은 처음에 이 일을
깨닫지 못하였다가 예수께
서 영광을 얻으신 후에야 이
것이 예수께 대하여 기록된
것임과 사람들이 예수께 이
같이 한 것임이 생각났더라
17 나사로를 무덤에서 불러
내어 죽은 자 가운데서 살리
실 때에 함께 있던 무리가
증언한지라 18 이에 무리가
예수를 맞음은 이 표적 행하
심을 들었음이러라 19 바리
새인들이 서로 말하되

볼지어다 너희 하는 일이 쓸 데 없다 보라
온 세상이 그를 따르는도다 하니라

인자가 들려야 하리라

20 명절에 예배하
러 올라온 사람
중에 헬라인 몇이
있는데 21 그들
이 갈릴리 벳새다
사람 빌립에게 가
서 청하여 이르되
선생이여 우리가 예수를
뵈옵고자 하나이다 하니

22 빌립이 안드
레에게 가서 말
하고 안드레와
빌립이 예수께
가서 여쭈니 23
예수께서 대답
하여 이르시되
인자가 영광을 얻을 때가 왔도다
24 내가 진실로 진실로 너희에게
이르노니 한 알의 밀이 땅에 떨어
져 죽지 아니하면 한 알 그대로
있고 죽으면 많은 열매를 맺느니
라 25 자기의 생명을 사랑하는 자
는 잃어버릴 것이요 이 세상에서
자기의 생명을 미워하는 자는 영
생하도록 보전하리라

26 사람이 나를 섬기려면 나를 따
르라 나 있는 곳에 나를 섬기는
자도 거기 있으리니 사람이 나를
섬기면 내 아버지께서 그를 귀히
여기시리라 27 지금 내 마음이
괴로우니 무슨 말을 하리요 아버
지여 나를 구원하여 이 때를 면
하게 하여 주옵소서 그러나 내가
이를 위하여 이 때에 왔나이다
28 아버지여, 아버지의 이름을
영광스럽게 하옵소서 하시니
이에 하늘에서 소리가 나서 이르되

내가 이미 영광스럽게 하
였고 또다시 영광스럽게
하리라 하시니

29 곁에 서서 들
은 무리는 천둥이
울었다고도 하며
또 어떤 이들은
천사가 그에게 말하
였다고도 하니

30 예수께서 대답하여 이르시되
이 소리가 난 것은 나를 위
한 것이 아니요 너희를 위
한 것이니라 31 이제 이 세
상에 대한 심판이 이르렀
으니 이 세상의 임금이 쫓
겨나리라 32 내가 땅에서
들리면 모든 사람을 내게
로 이끌겠노라 하시니
33 이렇게 말씀하심은 자기가 어떠한 죽음으로 죽
을 것을 보이심이러라 34 이에 무리가 대답하되
우리는 율법에서 그리
스도가 영원히 계신다
함을 들었거늘 너는
어찌하여 인자가 들려
야 하리라 하느냐 이
인자는 누구냐

35 예수께서 이르시되
아직 잠시 동안 빛이 너희 중
에 있으니 빛이 있을 동안에
다녀 어둠에 붙잡히지 않게
하라 어둠에 다니는 자는 그
가는 곳을 알지 못하느니라
36 너희에게 아직 빛이 있을
동안에 빛을 믿으라 그리하
면 빛의 아들이 되리라
그들이 예수를 믿지 아니하다
예수께서 이 말씀
을 하시고 그들을
떠나가서 숨으시니
라 37 이렇게 많은
표적을 그들 앞에
서 행하셨으나 그
를 믿지 아니하니

38 이는 선지자 이
사야의 말씀을 이루
려 하심이라 이르되

주여 우리에게서 들은
바를 누가 믿었으며 주
의 팔이 누구에게 나타
났나이까 하였더라
사 53:1

39 그들이 능히 믿지 못한 것은 이 때
문이니 곧 이사야가 다시 일렀으되

40 그들의 눈을 멀게 하시고 그
들의 마음을 완고하게 하셨으
니 이는 그들로 하여금 눈으로
보고 마음으로 깨닫고 돌이켜
내게 고침을 받지 못하게 하려
함이라 하였음이더라 사 6:10

41 이사야가 이렇게
말한 것은 주의 영광
을 보고 주를 가리켜
말한 것이라 42 그러
나 관리 중에도 그를
믿는 자가 많되 바리
새인들 때문에 드러
나게 말하지 못하니

이는 출교를 당할까 두려
워함이라 43 그들은 사
람의 영광을 하나님의 영
광보다 더 사랑하였더라

마지막 날과 심판

44 예수께서 외쳐 이르시되

나를 믿는 자는 나를 믿
는 것이 아니요 나를 보
내신 이를 믿는 것이며
45 나를 보는 자는 나를
보내신 이를 보는 것이
니라 46 나는 빛으로 세
상에 왔나니 무릇 나를
믿는 자로 어둠에 거하
지 않게 하려 함이로라

13장

제자들의 발을 씻으시다

1 유월절 전에 예수께서 자기가 세상을 떠나 아버지
께로 돌아가실 때가 이른 줄 아시고 세상에 있는 자기
사람들을 사랑하시되 끝까지 사랑하시니라 2 마귀가
벌써 시몬의 아들 가룟 유다의 마음에 예수를 팔려는
생각을 넣었더라 3 저녁 먹는 중 예수는 아버지께서
모든 것을 자기 손에 맡기신 것과 또 자기가 하나님께
로부터 오셨다가 하나님께로 돌아가실 것을 아시고

요한복음 13:6-18

6 시몬 베드로에게 이르
시니 베드로가 이르되
주여 주께서 내 발을 씻으시나이까

7 예수께서 대답하여 이르시되
내가 하는 것을 네가 지금은 알
지 못하나 이 후에는 알리라

8 베드로가 이르되
내 발을 절대로 씻지
못하시리이다

예수께서 대답하시되
내가 너를 씻어 주지 아니하면
네가 나와 상관이 없느니라

9 시몬 베드로가 이르되
주여 내 발뿐 아니라 손
과 머리도 씻어 주옵소서
10 예수께서 이르시되
이미 목욕한 자는 발밖에 씻
을 필요가 없느니라 온 몸이
깨끗하니라 너희가 깨끗하
나 다는 아니니라 하시니
11 이는 자기를 팔 자가 누구
인지 아심이라 그러므로 다는
깨끗하지 아니하다 하시니라

12 그들의 발을 씻으신 후에
옷을 입으시고 다시 앉아 그
들에게 이르시되
내가 너희에게 행한 것을 너희
가 아느냐 13 너희가 나를 선
생이라 또는 주라 하니 너희
말이 옳도다 내가 그러하다

14 내가 주와 또는 선생이 되어 너희 발을
씻었으니 너희도 서로 발을 씻어 주는 것이
옳으니라 15 내가 너희에게 행한 것 같이
너희도 행하게 하려 하여 본을 보였노라 16
내가 진실로 진실로 너희에게 이르노니 종
이 주인보다 크지 못하고 보냄을 받은 자가
보낸 자보다 크지 못하나니 17 너희가 이것
을 알고 행하면 복이 있으리라 18 내가 너
희 모두를 가리켜 말하는 것이 아니니라 나
는 내가 택한 자들이 누구인지 앎이라

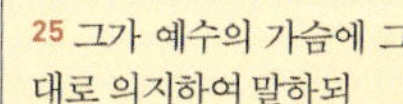

13:18 **내 떡을 … 들었다** 시 41:9
13:23 **누웠는지라** 이것은 직역한 표현이다. "앉았는지라"로도 번역될 수 있다. 그 당시 사람들은 한 팔에 의지하여 비스듬히 누워서 식사를 했다.

27 조각을 받은 후 곧 사탄이 그 속에 들어
간지라 이에 예수께서 유다에게 이르시되

28 이 말씀을 무슨 뜻으
로 하셨는지 그 앉은 자
중에 아는 자가 없고 29
어떤 이들은 유다가 돈궤
를 맡았으므로 명절에 우
리가 쓸 물건을 사라 하
시는지 혹은 가난한 자들
에게 무엇을 주라 하시는
줄로 생각하더라

30 유다가 그 조각을 받
고 곧 나가니 밤이러라

새 계명

31 그가 나간 후에 예수께서 이르시되

지금 인자가 영광을 받았고 하
나님도 인자로 말미암아 영광을
받으셨도다 32 만일 하나님이
그로 말미암아 영광을 받으셨으
면 하나님도 자기로 말미암아
그에게 영광을 주시리니 곧 주
시리라 33 작은 자들아 내가 아
직 잠시 너희와 함께 있겠노라
너희가 나를 찾을 것이나 일찍이
내가 유대인들에게 너희는 내가
가는 곳에 올 수 없다고 말한 것
과 같이 지금 너희에게도 이르노
라 34 새 계명을 너희에게 주노
니 서로 사랑하라 내가 너희를
사랑한 것 같이 너희도 서로 사
랑하라 35 너희가 서로 사랑하면
이로써 모든 사람이 너희가 내
제자인 줄 알리라

베드로가 부인할 것을 이르시다

36 시몬 베드로가 이르되

주여 어디로 가시나이까

예수께서 대답하시되

내가 가는 곳에 네가 지금은 따라
올 수 없으나 후에는 따라오리라

37 베드로가 이르되

주여 내가 지금은
어찌하여 따라갈
수 없나이까 주를
위하여 내 목숨을
버리겠나이다

38 예수께서 대답하시되

네가 나를 위하여 네
목숨을 버리겠느냐

14:4 내가 어디로 가는지 그 길을 너희가 아느니라 일부 헬라어 사본들에는 이것이 "너희는 내가 어디로 가는지 알고 또 그 곳에 이르는 길을 아느니라"라고 되어 있다.

요한복음 14:9－22

9 예수께서 이르시되

빌립아 내가 이렇게 오래 너희와
함께 있으되 네가 나를 알지 못
하느냐 나를 본 자는 아버지를
보았거늘 어찌하여 아버지를 보
이라 하느냐 **10** 내가 아버지 안
에 거하고 아버지는 내 안에 계
신 것을 네가 믿지 아니하느냐
내가 너희에게 이르는 말은 스스
로 하는 것이 아니라 아버지께서
내 안에 계셔서 그의 일을 하시
는 것이라 **11** 내가 아버지 안에
거하고 아버지께서 내 안에 계심
을 믿으라 그렇지 못하겠거든 행
하는 그 일로 말미암아 나를 믿
으라 **12** 내가 진실로 진실로 너
희에게 이르노니 나를 믿는 자는
내가 하는 일을 그도 할 것이요
또한 그보다 큰 일도 하리니 이
는 내가 아버지께로 감이라 **13**
너희가 내 이름으로 무엇을 구하
든지 내가 행하리니 이는 아버지
로 하여금 아들로 말미암아 영광
을 받으시게 하려 함이라 **14** 내
이름으로 무엇이든지 내게 구하
면 내가 행하리라 **15** 너희가 나
를 사랑하면 나의 계명을 지키리
라 **16** 내가 아버지께 구하겠으니
그가 또 다른 보혜사•를 너희에
게 주사 영원토록 너희와 함께
있게 하리니 **17** 그는 진리의 영
이라 세상은 능히 그를 받지 못
하나니 이는 그를 보지도 못하고
알지도 못함이라 그러나 너희는
그를 아나니 그는 너희와 함께
거하심이요 또 너희 속에 계시겠
음이라 **18** 내가 너희를 고아와
같이 버려두지 아니하고 너희에
게로 오리라 **19** 조금 있으면 세
상은 다시 나를 보지 못할 것이
로되 너희는 나를 보리니 이는
내가 살아 있고 너희도 살아 있
겠음이라 **20** 그 날에는 내가 아
버지 안에, 너희가 내 안에, 내가
너희 안에 있는 것을 너희가 알
리라 **21** 나의 계명을 지키는 자
라야 나를 사랑하는 자니

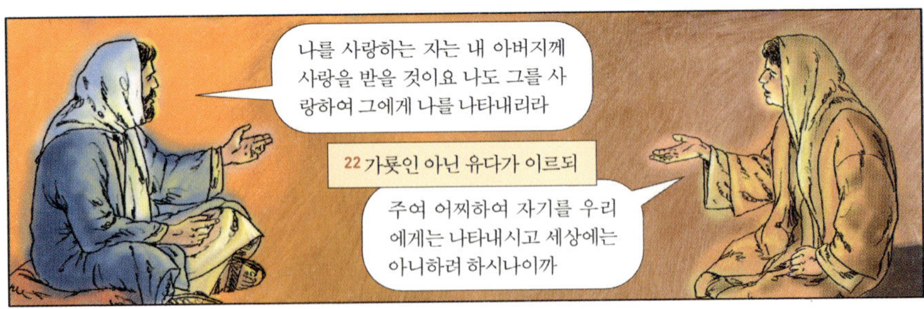

14:16 보혜사 '돕는 분', '상담해 주는 분' 또는 '위로하는 분'. 여기서 예수님은 성령을 가리켜 말씀하신 것이다.

23 예수께서 대답하여 이르시되
사람이 나를 사랑하면 내 말을 지
키리니 내 아버지께서 그를 사랑
하실 것이요 우리가 그에게 가서
거처를 그와 함께 하리라 24 나
를 사랑하지 아니하는 자는 내 말
을 지키지 아니하나니 너희가 듣
는 말은 내 말이 아니요 나를 보내
신 아버지의 말씀이니라

보혜사

25 내가 아직 너희와 함께 있어
서 이 말을 너희에게 하였거니와
26 보혜사 곧 아버지께서 내 이
름으로 보내실 성령 그가 너희에
게 모든 것을 가르치고 내가 너
희에게 말한 모든 것을 생각나게
하리라 27 평안을 너희에게 끼
치노니 곧 나의 평안을 너희에게
주노라 내가 너희에게 주는 것은
세상이 주는 것과 같지 아니하니
라 너희는 마음에 근심하지도 말
고 두려워하지도 말라 28 내가
갔다가 너희에게로 온다 하는 말
을 너희가 들었나니 나를 사랑하
였더라면 내가 아버지께로 감을
기뻐하였으리라 아버지는 나보
다 크심이라 29 이제 일이 일어
나기 전에 너희에게 말한 것은
일이 일어날 때에 너희로 믿게
하려 함이라 30 이 후에는 내가
너희와 말을 많이 하지 아니하리
니 이 세상의 임금이 오겠음이라
그러나 그는 내게 관계할 것이
없으니 31 오직 내가 아버지를
사랑하는 것과 아버지께서 명하
신 대로 행하는 것을 세상이 알
게 하려 함이로라 일어나라 여기
를 떠나자 하시니라

15장

나는 포도나무요 너희는 가지라

1 나는 참포도나무요 내 아버지
는 농부라 2 무릇 내게 붙어 있
어 열매를 맺지 아니하는 가지는
아버지께서 그것을 제거해 버리
시고 무릇 열매를 맺는 가지는
더 열매를 맺게 하려 하여 그것
을 깨끗하게 하시느니라 3 너희
는 내가 일러준 말로 이미 깨끗
하여졌으니 4 내 안에 거하라 나
도 너희 안에 거하리라 가지가
포도나무에 붙어 있지 아니하면
스스로 열매를 맺을 수 없음 같
이 너희도 내 안에 있지 아니하
면 그러하리라 5 나는 포도나무
요 너희는 가지라 그가 내 안에,
내가 그 안에 거하면 사람이 열
매를 많이 맺나니 나를 떠나서는
너희가 아무 것도 할 수 없음이
라 6 사람이 내 안에 거하지 아
니하면 가지처럼 밖에 버려져 마
르나니 사람들이 그것을 모아다
가 불에 던져 사르느니라 7 너희
가 내 안에 거하고 내 말이 너희
안에 거하면 무엇이든지 원하는
대로 구하라 그리하면 이루리라
8 너희가 열매를 많이 맺으면 내
아버지께서 영광을 받으실 것이
요 너희는 내 제자가 되리라 9
아버지께서 나를 사랑하신 것 같
이 나도 너희를 사랑하였으니 나
의 사랑 안에 거하라 10 내가 아
버지의 계명을 지켜 그의 사랑
안에 거하는 것 같이 너희도 내
계명을 지키면 내 사랑 안에 거
하리라 11 내가 이것을 너희에
게 이름은 내 기쁨이 너희 안에
있어 너희 기쁨을 충만하게 하려
함이라 12 내 계명은 곧 내가 너
희를 사랑한 것 같이 너희도 서
로 사랑하라 하는 이것이니라
13 사람이 친구를 위하여 자기
목숨을 버리면 이보다 더 큰 사
랑이 없나니 14 너희는 내가 명
하는 대로 행하면 곧 나의 친구
라 15 이제부터는 너희를 종이
라 하지 아니하리니 종은 주인이
하는 것을 알지 못함이라 너희를
친구라 하였노니 내가 내 아버지
께 들은 것을 다 너희에게 알게
하였음이라 16 너희가 나를 택한
것이 아니요 내가 너희를 택하여
세웠나니 이는 너희로 가서 열매

를 맺게 하고 또 너희 열매가 항상
있게 하여 내 이름으로 아버지께
무엇을 구하든지 다 받게 하려 함
이라 17 내가 이것을 너희에게 명
함은 너희로 서로 사랑하게 하려
함이라 18 세상이 너희를 미워하
면 너희보다 먼저 나를 미워한 줄
을 알라 19 너희가 세상에 속하였
으면 세상이 자기의 것을 사랑할
것이나 너희는 세상에 속한 자가
아니요 도리어 내가 너희를 세상
에서 택하였기 때문에 세상이 너
희를 미워하느니라 20 내가 너희
에게 종이 주인보다 더 크지 못하
다 한 말을 기억하라 사람들이 나
를 박해하였은즉 너희도 박해할
것이요 내 말을 지켰은즉 너희 말
도 지킬 것이라 21 그러나 사람들
이 내 이름으로 말미암아 이 모든
일을 너희에게 하리니 이는 나를
보내신 이를 알지 못함이라 22 내
가 와서 그들에게 말하지 아니하
였더라면 죄가 없었으려니와 지
금은 그 죄를 핑계할 수 없느니라
23 나를 미워하는 자는 또 내 아버
지를 미워하느니라 24 내가 아무
도 못한 일을 그들 중에서 하지 아
니하였더라면 그들에게 죄가 없
었으려니와 지금은 그들이 나와
내 아버지를 보았고 또 미워하였
도다 25 그러나 이는 그들의 율법
에 기록된 바 그들이 이유 없이 나
를 미워하였다* 한 말을 응하게
하려 함이라 26 내가 아버지께로
부터 너희에게 보낼 보혜사 곧 아
버지께로부터 나오시는 진리의
성령이 오실 때에 그가 나를 증언
하실 것이요 27 너희도 처음부터
나와 함께 있었으므로 증언하느
니라

16장

성령의 일

1 내가 이것을 너희에게 이름은
너희로 실족하지 않게 하려 함이
니 2 사람들이 너희를 출교할 뿐
아니라 때가 이르면 무릇 너희를
죽이는 자가 생각하기를 이것이
하나님을 섬기는 일이라 하리라
3 그들이 이런 일을 할 것은 아버
지와 나를 알지 못함이라 4 오직
너희에게 이 말을 한 것은 너희
로 그 때를 당하면 내가 너희에
게 말한 이것을 기억나게 하려
함이요 처음부터 이 말을 하지
아니한 것은 내가 너희와 함께
있었음이라 5 지금 내가 나를 보
내신 이에게로 가는데 너희 중에
서 나더러 어디로 가는지 묻는
자가 없고 6 도리어 내가 이 말을
하므로 너희 마음에 근심이 가득
하였도다 7 그러나 내가 너희에
게 실상을 말하노니 내가 떠나가
는 것이 너희에게 유익이라 내가
떠나가지 아니하면 보혜사가 너
희에게로 오시지 아니할 것이요
가면 내가 그를 너희에게로 보내
리니 8 그가 와서 죄에 대하여,
의에 대하여, 심판에 대하여 세
상을 책망하시리라 9 죄에 대하
여라 함은 그들이 나를 믿지 아
니함이요 10 의에 대하여라 함은
내가 아버지께로 가니 너희가 다
시 나를 보지 못함이요 11 심판
에 대하여라 함은 이 세상 임금
이 심판을 받았음이라 12 내가
아직도 너희에게 이를 것이 많으
나 지금은 너희가 감당하지 못하
리라 13 그러나 진리의 성령이
오시면 그가 너희를 모든 진리
가운데로 인도하시리니 그가 스
스로 말하지 않고 오직 들은 것
을 말하며 장래 일을 너희에게
알리시리라 14 그가 내 영광을
나타내리니 내 것을 가지고 너희
에게 알리시겠음이라 15 무릇 아
버지께 있는 것은 다 내 것이라
그러므로 내가 말하기를 그가 내
것을 가지고 너희에게 알리시리
라 하였노라 16 조금 있으면 너
희가 나를 보지 못하겠고 또 조
금 있으면 나를 보리라 하시니

15:25 **그들이 이유 없이 나를 미워하였다** 이것은 시편 35편 19절 또는 시편 69편 4절의 인용으로 추정된다.

19 예수께서 그 묻고자 함을
아시고 이르시되
내 말이 조금 있으면 나를 보지
못하겠고 또 조금 있으면 나를
보리라 하므로 서로 문의하느냐
20 내가 진실로 진실로 너희에게
이르노니 너희는 곡하고 애통하
겠으나 세상은 기뻐하리라 너희
는 근심하겠으나 너희 근심이 도
리어 기쁨이 되리라 21 여자가
해산하게 되면 그 때가 이르렀으
므로 근심하나 아기를 낳으면 세
상에 사람 난 기쁨으로 말미암아
그 고통을 다시 기억하지 아니하
느니라 22 지금은 너희가 근심
하나 내가 다시 너희를 보리니
너희 마음이 기쁠 것이요 너희
기쁨을 빼앗을 자가 없으리라
23 그 날에는 너희가 아무 것도
내게 묻지 아니하리라 내가 진실
로 진실로 너희에게 이르노니 너
희가 무엇이든지 아버지께 구하
는 것을 내 이름으로 주시리라
24 지금까지는 너희가 내 이름으
로 아무 것도 구하지 아니하였으
나 구하라 그리하면 받으리니 너
희 기쁨이 충만하리라

내가 세상을 이기었다

25 이것을 비유로 너희에게 일렀
거니와 때가 이르면 다시는 비유
로 너희에게 이르지 않고 아버지
에 대한 것을 밝히 이르리라 26
그 날에 너희가 내 이름으로 구
할 것이요 내가 너희를 위하여
아버지께 구하겠다 하는 말이 아
니니 27 이는 너희가 나를 사랑
하고 또 내가 하나님께로부터 온
줄 믿었으므로 아버지께서 친히
너희를 사랑하심이라 28 내가 아
버지에게서 나와 세상에 왔고 다
시 세상을 떠나 아버지께로 가노
라 하시니

32 보라 너희가 다 각각 제 곳으로 흩어
지고 나를 혼자 둘 때가 오나니 벌써 왔
도다 그러나 내가 혼자 있는 것이 아니
라 아버지께서 나와 함께 계시느니라
33 이것을 너희에게 이르는 것은 너희
로 내 안에서 평안을 누리게 하려 함이
라 세상에서는 너희가 환난을 당하나
담대하라 내가 세상을 이기었노라

기도하시다

1 예수께서 이 말씀을 하시
고 눈을 들어 하늘을 우러러
이르시되
아버지여 때가 이르렀사오니 아
들을 영화롭게 하사 아들로 아버
지를 영화롭게 하게 하옵소서 2
아버지께서 아들에게 주신 모든
사람에게 영생을 주게 하시려고
만민을 다스리는 권세를 아들에
게 주셨음이로소이다 3 영생은
곧 유일하신 참 하나님과 그가
보내신 자 예수 그리스도를 아는
것이니이다 4 아버지께서 내게
하라고 주신 일을 내가 이루어
아버지를 이 세상에서 영화롭게
하였사오니 5 아버지여 창세 전
에 내가 아버지와 함께 가졌던
영화로써 지금도 아버지와 함께
나를 영화롭게 하옵소서 6 세상
중에서 내게 주신 사람들에게 내
가 아버지의 이름을 나타내었나
이다 그들은 아버지의 것이었는
데 내게 주셨으며 그들은 아버지
의 말씀을 지키었나이다 7 지금
그들은 아버지께서 내게 주신 것
이 다 아버지로부터 온 것인 줄
알았나이다 8 나는 아버지께서
내게 주신 말씀들을 그들에게 주
었사오며 그들은 이것을 받고 내
가 아버지께로부터 나온 줄을 참
으로 아오며 아버지께서 나를 보
내신 줄도 믿었사옵나이다 9 내
가 그들을 위하여 비옵나니 내가
비옵는 것은 세상을 위함이 아니
요 내게 주신 자들을 위함이니이
다 그들은 아버지의 것이로소이
다 10 내 것은 다 아버지의 것이
요 아버지의 것은 내 것이온데
내가 그들로 말미암아 영광을 받
았나이다 11 나는 세상에 더 있
지 아니하오나 그들은 세상에 있
사옵고 나는 아버지께로 가옵나
니 거룩하신 아버지여 내게 주신
아버지의 이름으로 그들을 보전
하사 우리와 같이 그들도 하나가
되게 하옵소서 12 내가 그들과
함께 있을 때에 내게 주신 아버
지의 이름으로 그들을 보전하고
지키었나이다 그 중의 하나도 멸
망하지 않고 다만 멸망의 자식뿐
이오니 이는 성경을 응하게 함이
니이다

13 지금 내가 아버지께로 가오니
내가 세상에서 이 말을 하옵는
것은 그들로 내 기쁨을 그들 안
에 충만히 가지게 하려 함이니이
다 14 내가 아버지의 말씀을 그
들에게 주었사오매 세상이 그들
을 미워하였사오니 이는 내가 세
상에 속하지 아니함 같이 그들도
세상에 속하지 아니함으로 인함
이니이다 15 내가 비옵는 것은
그들을 세상에서 데려가시기를
위함이 아니요 다만 악에 빠지지
않게 보전하시기를 위함이니이
다 16 내가 세상에 속하지 아니
함 같이 그들도 세상에 속하지
아니하였사옵나이다 17 그들을
진리로 거룩하게 하옵소서 아버
지의 말씀은 진리니이다 18 아버
지께서 나를 세상에 보내신 것
같이 나도 그들을 세상에 보내었
고 19 또 그들을 위하여 내가 나
를 거룩하게 하오니 이는 그들도
진리로 거룩함을 얻게 하려 함이
니이다 20 내가 비옵는 것은 이
사람들만 위함이 아니요 또 그들
의 말로 말미암아 나를 믿는 사
람들도 위함이니 21 아버지여,
아버지께서 내 안에, 내가 아버
지 안에 있는 것 같이 그들도 다
하나가 되어 우리 안에 있게 하
사 세상으로 아버지께서 나를 보
내신 것을 믿게 하옵소서 22 내
게 주신 영광을 내가 그들에게
주었사오니 이는 우리가 하나가
된 것 같이 그들도 하나가 되게
하려 함이니이다 23 곧 내가 그
들 안에 있고 아버지께서 내 안
에 계시어 그들로 온전함을 이루
어 하나가 되게 하려 함은 아버
지께서 나를 보내신 것과 또 나
를 사랑하심 같이 그들도 사랑하
신 것을 세상으로 알게 하려 함
이로소이다 24 아버지여 내게 주
신 자도 나 있는 곳에 나와 함께
있어 아버지께서 창세 전부터 나
를 사랑하시므로 내게 주신 나의
영광을 그들로 보게 하시기를 원
하옵나이다 25 의로우신 아버지
여 세상이 아버지를 알지 못하여
도 나는 아버지를 알았사옵고 그
들도 아버지께서 나를 보내신 줄
알았사옵나이다 26 내가 아버지
의 이름을 그들에게 알게 하였고
또 알게 하리니 이는 나를 사랑하
신 사랑이 그들 안에 있고 나도
그들 안에 있게 하려 함이니이다

18장

잡히시다

1 예수께서 이 말씀을
하시고 제자들과 함께
기드론 시내 건너편으
로 나가시니 그 곳에
동산이 있는데 제자들
과 함께 들어가시니라

2 그 곳은 가끔 예수께서 제자
들과 모이시는 곳이므로 예수
를 파는 유다도 그 곳을 알더라
3 유다가 군대와 대제사장들과
바리새인들에게서 얻은 아랫사
람들을 데리고 등과 횃불과 무
기를 가지고 그리로 오는지라

4 예수께서 그 당할 일을 다 아시고 나아가 이르시되
너희가 누구를 찾느냐
5 대답하되
나사렛 예수라 하거늘

이르시되
내가 그니라 하시니라

그를 파는 유다도 그들과 함께 섰더라 6 예수께서 그들에게 내가 그니라 하실 때에 그들이 물러가서 땅에 엎드러지는지라 7 이에 다시

누구를 찾느냐고 물으신대

그들이 말하되
나사렛 예수라 하거늘

8 예수께서 대답하시되
너희에게 내가 그니라 하였으니 나를 찾거든 이 사람들이 가는 것은 용납하라 하시니
9 이는 아버지께서 내게 주신 자 중에서 하나도 잃지 아니하였사옵나이다 하신 말씀을 응하게 하려 함이러라

10 이에 시몬 베드로가 칼을 가졌는데 그것을 빼어

대제사장의 종을 쳐서 오른편 귀를 베어버리니 그 종의 이름은 말고라

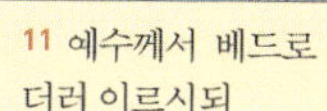

11 예수께서 베드로
더러 이르시되

안나스에게로 끌고 가다

12 이에 군대와 천부장
과 유대인의 아랫사람
들이 예수를 잡아 결박
하여 13 먼저 안나스에
게로 끌고 가니 안나스
는 그 해의 대제사장인
가야바의 장인이라

14 가야바는 유대인들에게 한 사
람이 백성을 위하여 죽는 것이
유익하다고 권고하던 자러라

베드로가 제자가 아니라고 하다

15 시몬 베드로와 또 다른 제자
한 사람이 예수를 따르니 이 제
자는 대제사장과 아는 사람이라

예수와 함께 대제사장의
집 뜰에 들어가고 16 베드
로는 문 밖에 서 있는지라
대제사장을 아는 그 다른
제자가 나가서 문 지키는
여자에게 말하여 베드로를
데리고 들어오니

17 문 지키는 여종이
베드로에게 말하되

너도 이 사람의 제자 중 하나가 아니냐 하니

그가 말하되

나는 아니라 하고

18 그 때가 추운
고로 종과 아랫사
람들이 불을 피우
고 서서 쬐니 베드
로도 함께 서서 쬐
더라

18:11 **잔** 여기에서 잔은 예수님께 닥칠 고난을 상징한다. 마치 매우 쓴 것이 들어 있는 잔을 마시는 것처럼 지극히 고통스럽다는 의미이다.

요한복음 18:19 – 27

대제사장이 예수에게 묻다

19 대제사장이 예수에게 그의 제자들과 그의 교훈에 대하여 물으니 20 예수께서 대답하시되

22 이 말씀을 하시매 곁에 섰던 아랫사람 하나가 손으로 예수를 쳐 이르되

23 예수께서 대답하시되

24 안나스가 예수를 결박한 그대로 대제사장 가야바에게 보내니라

베드로가 다시 제자가 아니라고 하다

25 시몬 베드로가 서서 불을 쬐더니 사람들이 묻되

26 대제사장의 종 하나는 베드로에게 귀를 잘린 사람의 친척이라 이르되

27 이에 베드로가 또 부인하니 곧 닭이 울더라

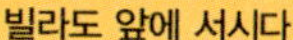

18:28 **그들은 더럽힘을 … 먹고자 하여** 유대의 법에 따르면, 비유대인의 지역에 들어간 유대인은 유월절 잔치를 먹을 수 없었다.

십자가에 못 박도록 예수를 넘겨 주다

자색 옷을 입히고 3 앞에 가서 이르되

유대인의 왕이여 평안할지어다

하며 손으로 때리더라

19:13 히브리 말 1세기의 유대인들이 사용한 아람어

요한복음 19:16-20

18 그들이 거기서 예수를 십자가
에 못 박을새 다른 두 사람도 그
와 함께 좌우편에 못 박으니 예수
는 가운데 있더라 19 빌라도가
패를 써서 십자가 위에 붙이니 나
사렛 예수 유대인의 왕이라 기록
되었더라 20 예수께서 못 박히신
곳이 성에서 가까운 고로 많은 유
대인이 이 패를 읽는데 히브리와
로마와 헬라 말로 기록되었더라

19:24 그들이 내 옷을 … 뽑나이다 시 22:18 인용

26 예수께서 자기의 어머니와 사랑하시는 제자가 곁에 서 있는 것을 보시고 자기 어머니께 말씀하시되

여자여 보소서 아들이니이다 하시고

27 또 그 제자에게 이르시되

보라 네 어머니라 하신대

그 때부터 그 제자가 자기 집에 모시니라

19:28 **내가 목마르다** 시 22:15 ; 69:21 인용

창으로 옆구리를 찌르다

31 이 날은 준비일이라 유대인들은 그
안식일이 큰 날이므로 그 안식일에 시
체들을 십자가에 두지 아니하려 하여
빌라도에게 그들의 다리를 꺾어• 시체
를 치워 달라 하니 32 군인들이 가서
예수와 함께 못 박힌 첫째 사람과 또
그 다른 사람의 다리를 꺾고 33 예수께
이르러서는 이미 죽으신 것을 보고 다
리를 꺾지 아니하고 34 그 중 한 군인
이 창으로 옆구리를 찌르니 곧 피와 물
이 나오더라 35 이를 본 자가 증언하였
으니 그 증언이 참이라 그가 자기의 말
하는 것이 참인 줄 알고 너희로 믿게
하려 함이니라 36 이 일이 일어난 것은

그 뼈가 하나도 꺾이지
아니하리라• 시 34:20

한 성경을 응하게 하려 함
이라 37 또 다른 성경에

그들이 그 찌른 자를 보
리라 하였느니라
슥 12:10

19:31 **다리를 꺾어** 십자가에 달린 사람들의 뼈를 꺾으면 그들을 좀 더 빨리 죽게 할 수 있었다.
19:36 **그 뼈가 하나도 꺾이지 아니하리라** 본래 이 개념은 출애굽기 12장 46절과 민수기 9장 12절에서 나왔다.

새 무덤에 예수를 두다

38 아리마대 사람 요셉은 예수
의 제자이나 유대인이 두려워
그것을 숨기더니 이 일 후에
빌라도에게 예수의 시체를 가
져가기를 구하매 빌라도가 허
락하는지라 이에 가서 예수의
시체를 가져가니라

39 일찍이 예수께 밤에 찾아
왔던 니고데모도 몰약과 침
향 섞은 것을 백 리트라쯤
가지고 온지라 40 이에 예
수의 시체를 가져다가 유대
인의 장례 법대로 그 향품과
함께 세마포로 쌌더라

41 예수께서 십자가에 못 박
히신 곳에 동산이 있고 동산
안에 아직 사람을 장사한 일
이 없는 새 무덤이 있는지라
42 이 날은 유대인의 준비일
이요 또 무덤이 가까운 고로
예수를 거기 두니라

20장

살아나시다

1 안식 후 첫날
일찍이 아직 어
두울 때에 막달
라 마리아가 무
덤에 와서 돌이
무덤에서 옮겨
진 것을 보고

2 시몬 베드로와 예수께
서 사랑하시던 그 다른 제
자에게 달려가서 말하되

사람들이 주님을 무덤에서
가져다가 어디 두었는지 우
리가 알지 못하겠다 하니

3 베드로와 그 다른 제자가 나
가서 무덤으로 갈새 4 둘이 같
이 달음질하더니 그 다른 제자
가 베드로보다 더 빨리 달려가
서 먼저 무덤에 이르러 5 구부
려 세마포 놓인 것을 보았으나
들어가지는 아니하였더니

6 시몬 베드로는 따라와서 무덤에
들어가 보니 세마포가 놓였고

7 또 머리를 쌌던 수건
은 세마포와 함께 놓
이지 않고 딴 곳에 쌌
던 대로 놓여 있더라
8 그 때에야 무덤에 먼
저 갔던 그 다른 제자
도 들어가 보고 믿더
라 9 (그들은 성경에
그가 죽은 자 가운데
서 다시 살아나야 하
리라 하신 말씀을 아
직 알지 못하더라)

10 이에 두 제자가 자기들의
집으로 돌아가니라

막달라 마리아에게 나타나시다

11 마리아는 무덤 밖에 서서 울고
있더니 울면서 구부려 무덤 안을 들
여다보니 12 흰 옷 입은 두 천사가
예수의 시체 뉘었던 곳에 하나는 머
리 편에, 하나는 발 편에 앉았더라

13 천사들이 이르되

14 이 말을 하고 뒤로 돌이켜 예수께서 서 계신 것을 보았으나 예수이신 줄은 알지 못하더라 15 예수께서 이르시되

여자여 어찌하여 울며 누구를 찾느냐 하시니

마리아는 그가 동산지기인 줄 알고 이르되

주여 당신이 옮겼거든 어디 두었는지 내게 이르소서 그리하면 내가 가져가리이다

17 예수께서 이르시되

나를 붙들지 말라 내가 아직 아버지께로 올라가지 아니하였노라 너는 내 형제들에게 가서 이르되 내가 내 아버지 곧 너희 아버지, 내 하나님 곧 너희 하나님께로 올라간다 하라 하시니

제자들에게 나타나시다

19 이 날 곧 안식 후 첫날 저
녁 때에 제자들이 유대인들
을 두려워하여 모인 곳의 문
들을 닫았더니 예수께서 오
사 가운데 서서 이르시되

20 이 말씀을 하시고 손과
옆구리를 보이시니 제자들
이 주를 보고 기뻐하더라
21 예수께서 또 이르시되

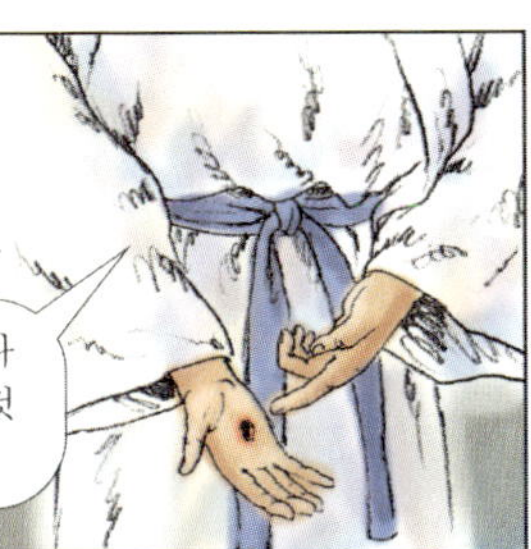

22 이 말씀을 하시고 그들을
향하사 숨을 내쉬며 이르시되

도마가 의심하다

24 열두 제자 중의
하나로서 디두모
라 불리는 도마는
예수께서 오셨을
때에 함께 있지 아
니한지라 25 다른
제자들이 그에게
이르되

26 여드레를 지나서
제자들이 다시 집
안에 있을 때에 도
마도 함께 있고 문
들이 닫혔는데 예수
께서 오사 가운데
서서 이르시되

이 책을 기록한 목적

30 예수께서 제자들 앞에서 이
책에 기록되지 아니한 다른 표
적도 많이 행하셨으나 31 오
직 이것을 기록함은 너희로 예
수께서 하나님의 아들 그리스
도이심을 믿게 하려 함이요 또
너희로 믿고 그 이름을 힘입어
생명을 얻게 하려 함이니라

21장

일곱 제자에게 나타나시다

1 그 후에 예수께서 디베랴
호수• 에서 또 제자들에게 자
기를 나타내셨으니 나타내신
일은 이러하니라 2 시몬 베
드로와 디두모라 하는 도마
와 갈릴리 가나 사람 나다나
엘과 세베대의 아들들과 또
다른 제자 둘이 함께 있더니

21:1 **디베랴 호수** 직역하면 '디베랴 바다'이다. 갈릴리 호수를 가리킨다.

4 날이 새어갈 때에 예
수께서 바닷가에 서셨
으나 제자들이 예수이
신 줄 알지 못하는지라
5 예수께서 이르시되
얘들아 너희에게 고기가 있느냐
대답하되
없나이다

6 이르시되
그물을 배 오른편에 던지라 그리하면 잡으리라 하시니

이에 던졌더니 물고기가 많아 그물을 들 수 없더라
7 예수께서 사랑하시는 그 제자가 베드로에게 이르되
주님이시라 하니

시몬 베드로가 벗고 있다
가 주님이라 하는 말을 듣
고 겉옷을 두른 후에 바다
로 뛰어 내리더라 8 다른
제자들은 육지에서 거리
가 불과 한 오십 칸쯤 되
므로 작은 배를 타고 물고
기 든 그물을 끌고 와서

9 육지에 올라보니
숯불이 있는데 그
위에 생선이 놓였
고 떡도 있더라 10
예수께서 이르시되
지금 잡은 생선을 좀 가져오라 하시니

11 시몬 베드로가 올라가서
그물을 육지에 끌어 올리니
가득히 찬 큰 물고기가 백쉰
세 마리라 이같이 많으나 그
물이 찢어지지 아니하였더라

요한복음 21:12-19

12 예수께서 이르시되

와서 조반을 먹으라 하시니

제자들이 주님이신 줄 아는 고로 당
신이 누구냐 감히 묻는 자가 없더라
13 예수께서 가셔서 떡을 가져다가
그들에게 주시고 생선도 그와 같이
하시니라 14 이것은 예수께서 죽은
자 가운데서 살아나신 후에 세 번째
로 제자들에게 나타나신 것이라

내 양을 먹이라

15 그들이 조반 먹은
후에 예수께서 시몬
베드로에게 이르시되

요한의 아들 시몬아 네
가 이 사람들보다 나를
더 사랑하느냐 하시니

이르되

주님 그러하나이다 내가 주님을
사랑하는 줄 주님께서 아시나이다

이르시되

내 어린 양을
먹이라 하시고

16 또 두 번째
이르시되

요한의 아들 시몬
아 네가 나를 사랑
하느냐 하시니

이르되

주님 그러하나이다 내
가 주님을 사랑하는 줄
주님께서 아시나이다

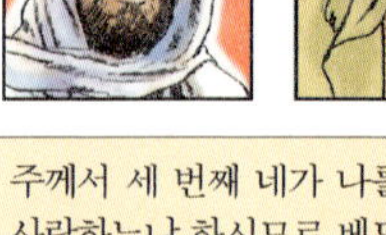

이르시되

내 양을 치라 하시고

17 세 번째 이르시되

요한의 아들 시몬
아 네가 나를 사랑
하느냐 하시니

주께서 세 번째 네가 나를
사랑하느냐 하시므로 베드
로가 근심하여 이르되

주님 모든 것을 아시오매 내가 주님을
사랑하는 줄을 주님께서 아시나이다

예수께서 이르시되

내 양을 먹이라

18 내가 진실로 진실로 네게 이르노
니 네가 젊어서는 스스로 띠 띠고 원
하는 곳으로 다녔거니와 늙어서는 네
팔을 벌리리니 남이 네게 띠 띠우고
원하지 아니하는 곳으로 데려가리라

19 이 말씀을 하심은 베드로가 어떠한
죽음으로 하나님께 영광을 돌릴 것을
가리키심이러라 이 말씀을 하시고

20 베드로가 돌이켜 예수
께서 사랑하시는 그 제자
가 따르는 것을 보니 그는
만찬석에서 예수의 품에
의지하여 주님 주님을 파
는 자가 누구오니이까 묻
던 자더라 21 이에 베드
로가 그를 보고 예수께 여
짜오되

23 이 말씀이 형제들에
게 나가서 그 제자는 죽
지 아니하겠다 하였으
나 예수의 말씀은 그가
죽지 않겠다 하신 것이
아니라 내가 올 때까지
그를 머물게 하고자 할
지라도 네게 무슨 상관
이냐 하신 것이러라

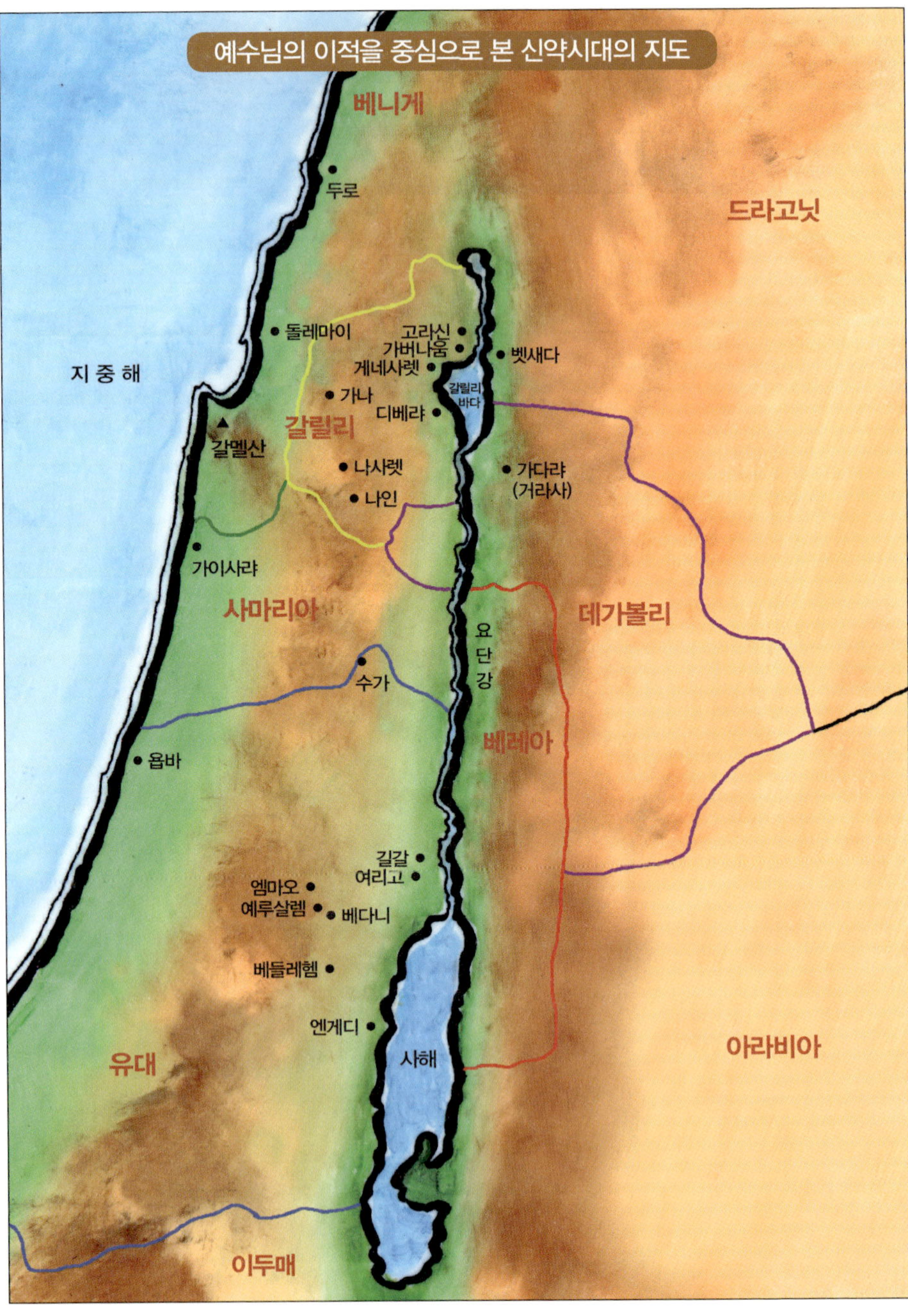

예수님의 이적을 중심으로 본 신약시대의 지도
베니게
두로
드라고닛
돌레마이
고라신
가버나움
벳새다
게네사렛
지 중 해
가나
갈릴리 바다
디베랴
갈릴리
갈멜산
나사렛
가다라 (거라사)
나인
가이사랴
사마리아
데가볼리
요 단 강
수가
베레아
욥바
길갈
여리고
엠마오
예루살렘
베다니
베들레헴
엔게디
사해
아라비아
유대
이두매

카툰성경 요한복음

초판 1쇄 발행 2017년 5월 26일

그린이 키이스 닐리, 데이비드 마일즈

펴낸이 여진구
책임편집 안수경, 최현수
편집 김아진, 이영주
책임디자인 이혜영, 마영애, 노지현
기획 · 홍보 김영하
마케팅 김상순, 강성민, 허병용
제작 조영석, 정도봉
해외저작권 기은혜
마케팅지원 최영배, 정나영
경영지원 김혜경, 김경희

이슬비전도학교 최경식, 전우순
303비전성경암송학교 박정숙
303비전장학회 & 303비전꿈나무장학회 여운학

펴낸곳 규장

주소 06770 서울시 서초구 매헌로 16길 20(양재2동) 규장선교센터
전화 02)578-0003 팩스 02)578-7332
이메일 kyujang0691@gmail.com 홈페이지 www.kyujang.com
트위터 twitter.com/_kyujang 페이스북 facebook.com/kyujangbook
등록일 1978.8.14. 제1-22

책값 뒤표지에 있습니다.
ISBN 978-89-6097-604-7 04230
978-89-6097-600-9 (세트)

규 | 장 | 수 | 칙

1. 기도로 기획하고 기도로 제작한다.
2. 오직 그리스도의 성품을 사모하는 독자가 원하고 필요로 하는 책만을 출판한다.
3. 한 활자 한 문장에 온 정성을 쏟는다.
4. 성실과 정확을 생명으로 삼고 일한다.
5. 긍정적이며 적극적인 신앙과 신행일치에의 안내자의 사명을 다한다.
6. 충고와 조언을 항상 감사로 경청한다.
7. 지상목표는 문서선교에 있다.

하나님을 사랑하는 자 곧 그의 뜻대로 부르심을 입은 자들에게는 모든 것이 合力하여 善을 이루느니라(롬 8:28)

규장은 문서를 통해 복음전파와 신앙교육에 주력하는 국제적 출판사들의 협의체인 복음주의출판협회(E.C.P.A:Evangelical Christian Publishers Association)의 출판정신에 동참하는 회원(Associate Member)입니다.